Guy Warner

Under the Goshawk's Wings

A History of Aviation in the Azores

*Sob as Asas do Açor
História da Aviação nos Açores*

Aeroportos
de Portugal

Cover photo: *Pico in the distance viewed from Dornier 228 CS-TGO on its way from Corvo to Terceira (Lynda Warner)*

Guy Warner has been a regular contributor to Ulster Airmail, the journal of the Ulster Aviation Society of which he is also a committee member.

As well as writing for *Aeroplane, Aircraft Illustrated, Air Enthusiast, Airliner World, Air Pictorial, Airways, Aviation Ireland, Air International, Army Air Corps Journal, Aviation News, Flying in Ireland, Flypast, Flight Deck, History Ireland, Northern Ireland Travel News, Spirit of the Air* and *230 Squadron Association Newsletter*, he has also had several books published.

He is co-author of *In the Heart of the City: The History of Belfast's City Airport, 1938 – 1998, Flying from Malone: Belfast's First Civil Aerodrome, Belfast International Airport: Aviation at Aldergrove since 1918, Army Aviation in Ulster, The History of No 72 Squadron RAF* and author of *Blandford to Baghdad: The Story of No 72 Squadron's First CO, The Westland Wessex 1963 – 2003: 40 Years of RAF Service, Orkney By Air: A Photographic Journey Through Time, No 230 Squadron Royal Air Force: Kita Chari Jauh – We Search Far, Airships Over the North Channel, Flying from Derry – Eglinton and Naval Aviation in Northern Ireland and Shorts – the Foreman Years.*

Guy is married with two daughters and lives in Co Antrim.

Designed by April Sky Design, Newtownards

www.aprilsky.co.uk

Under the Goshawk's Wings

A History of Aviation in the Azores

Guy Warner

Sob as Asas do Açor
História da Aviação nos Açores

Translated by
Paulo Alexandre da Silveira Noia Pereira

ANA Aeroportos de Portugal

CONTENTS
ÍNDICE

PREFACE

The presentation currently made by historian Guy Warner is a valuable repository of facts and figures related to the unique geographical location of the Azores in terms of intercontinental Atlantic links.

Portuguese sailors discovered these islands not by mere chance, but rather by a methodical search of the vast seas in the certainty that somewhere in the fog lay new territory waiting to be occupied. And so it came to be. Enthused by their findings the Portuguese travelled further south and east, discovering the sea route to the spices and riches from India, dominated by Mediterranean and Middle Eastern traders, and colonizing Brazil.

Over the next few centuries, the importance of the Azores to international trade routes – sea, air and telecommunications - was acknowledged by all. More recently, the importance of the archipelago as a safe haven, logistics platform or refuelling stop in the West during times of conflict was made evident. In the post war period, the Azores proved very advantageous as an advanced lookout and defence post, although this was recently made redundant due to advances in space technologies.

The Azores have been an obvious stopover for flying boats and seaplanes since the very beginnings of air transport, a characteristic naturally replaced by airports providing facilities, safety and support for modern aeroplanes.

ANA – Aeroportos de Portugal is proud of all the history in terms of airport and airspace prior to its creation in 1999. We have based our growth on the most modern and rigorous safety criteria and quality service for our customers, aiming toward economic, social and cultural development for the areas we serve, in line with Portugal's international commitments.

Today, as in the past, the Azores are a group of nine luscious green islands, proud of their heritage and hospitality. Although still an important port of call for boats and small aircraft, it is now a destination in itself, with a modern network of air and sea transport, frequent internal and external links, making it accessible to levels undreamed of in the past.

PREFÁCIO

O trabalho agora apresentado pelo Historiador Guy Warner constitui um valioso repositório de factos e datas relacionados com a particular localização geográfica do Arquipélago dos Açores no contexto das ligações intercontinentais atlânticas.

A descoberta das ilhas pelas expedições de navegadores portugueses não constituiu um mero acaso, mas sim o resultado de uma metódica prospecção do imenso mar na certeza

— ∞ —

de que este encerrava nas suas brumas novos territórios que requeriam ocupação. E assim foi. Animados pelos achados rumaram os portugueses para Sul e para Oriente para acederem por mar ao manancial das especiarias e riquezas da Índia, cujo comércio era liderado pelos povos do mediterrâneo e do médio oriente, e colonizando o Brasil.

No decorrer dos séculos seguintes, reconheceu-se nacional e internacionalmente a enorme valia da localização dos Açores para as rotas comerciais – marítimas, de comunicações telefónicas e aéreas. No século passado, também de uma forma muito evidente, a valia do Arquipélago ficou patente. quando ocorreram conflitos declarados no Hemisfério Ocidental, funcionando como porto de abrigo, plataforma logística e de reabastecimento. A estas vantagens juntou-se a função de posto avançado de observação e defesa no período do pós-guerra apenas minimizado actualmente após a introdução de novas tecnologias espaciais.

Não é pois de estranhar que desde os primórdios do transporte aéreo os hidroaviões tenham escalado os portos açorianos, preconizando um futuro que rapidamente aconteceu quando a técnica, a mecânica e a aerodinâmica conceberam os modernos aviões e exigiram a construção de aeroportos para lhes dar guarida, segurança e suporte.

A ANA-Aeroportos de Portugal orgulha-se de toda a história aeroportuária e da Navegação Aérea que antecedeu a sua criação, em 1999, apostando decisivamente no seu desenvolvimento segundo os mais modernos critérios de segurança e de qualidade de serviço aos clientes, em prol do desenvolvimento económico, social e cultural das populações que serve e no cumprimento dos compromissos internacionais de que Portugal é subscritor.

Hoje como ontem, os Açores continuam a ser um magnífico conjunto de nove ilhas verdejantes que se orgulham de providenciar ao visitante uma enorme hospitalidade e acolhimento. Embora constituam ainda uma plataforma de inegável valor para o tráfego de embarcações e aviões ligeiros, o Arquipélago é cada vez mais um destino em si mesmo, dotado de uma moderna rede de transportes aéreos e marítimos com frequentes ligações internas e para o exterior, que eleva a acessibilidade para patamares até há pouco insuspeitados.

José Luiz Alves
Director dos Aeroportos dos Açores
Ponta Delgada, Janeiro de 2008

INTRODUCTION/INTRODUÇÃO

I should like to begin by expressing my sincere thanks to ANA Aeroportos de Portugal SA, without whose generous sponsorship publication of this history would not have been possible, particularly Luis Sismeiro and José Luiz Alves.

My wife and I first visited the Azores in 2004 and were captivated by the beauty and tranquillity of the islands. On the walls of the lobby of our hotel in Horta (the Fayal Hotel) were a series of enlarged old photographs. I was immediately intrigued by these as they featured flying-boats in the harbour and in particular the wonderful and iconic Boeing 314. Just down the main street, the Rua Walter Bensaude, was a photographic shop – Foto Jovial – with postcards on display of subjects old and new. Inside there were albums to browse from which reprints could be ordered. One album featured transport and included not only copies of the pictures on the walls of the hotel but others of equal interest. My appetite was thus whetted. I carried out some more research during the holiday and when home again; I began a correspondence with Nathalie de la Blétière of the Azores airline SATA, which yielded much more useful information. When Lynda and I returned to the islands in 2006, I was astounded to find yet another historic aviation photograph on the wall of the Solar de Lalem, the peaceful manor house in which we stayed on São Miguel. This time it was of a DH Dove, one of SATA's earliest types, at Santana airfield. A few days later was introduced to two pilots from those early days, Captains Francisco Afonso and Rogério Lopes at a lunch hosted by António Cansado and listened to their fascinating tales. We then flew to Terceira where I had arranged to meet the Base Historical Officer at Lajes Field, Mrs Michelle Heck, who as well as giving me access to the excellent photo archives, also introduced me to a considerable expert on aviation in the Azores, Manuel Martins. Home once more I was put in contact with two more very helpful and knowledgeable people Madalena Oliveira and Paulo Pereira. In 2007 I was fortunate to meet Carlos M Ramos da Silveira, the historian of aviation on Horta and then to correspond with Frederico Rosa and António Monteiro. Grateful thanks are also due to Stephan Weidenhiller, who with Paulo has formed a truly international editorial committee. With this level of support and interest, this book just had to be written. I hope that you will find it of as much interest to read as I have had in researching and writing it.

Guy Warner
Carrickfergus, January 2008

— ∞ —

INTRODUCTION/INTRODUÇÃO

Fui em 1970, com 2 anos, pela primeira vez aos Açores. Laços familiares ligam-me à Região, em particular à ilha das Flores, de onde a minha mãe é natural e onde os meus avós, na época, residiam. As visitas à família naquela ilha eram, por essa altura, uma pequena aventura. A inexistência de um aeródromo comercial nas Flores obrigava à utilização de barco no último percurso da viagem. Por sua vez, o 'Ponta Delgada', devido às suas dimensões, não acostava no porto das Flores, ficando ao largo e sendo o transbordo efectuado por uma pequena lancha no, por vezes tempestuoso, mar local.

A existência de uma pequena pista em Santa Cruz das Flores permitia, por vezes, efectuar todo o percurso desde Lisboa em avião. Ainda assim, e até ao início da operação regular da SATA nas Flores, em 1976, utilizavam-se por vezes aeronaves da Força Aérea, quer portuguesa, quer francesa, esta última em voos de apoio logístico à estação local de rastreio de satélites. Com o início da operação regular da SATA, essa componente mais aventureira deixou de existir, passando o único grau de imprevisibilidade a vir das condições meteorológicas, que por vezes levavam à interrupção da operação durante vários dias. Esta ligação aos Açores, bem como um enorme gosto pela aviação e a sua história, tornaram bastante fácil a decisão de aceitar o convite de Guy Warner para colaborar neste pequeno livro. Não posso deixar de agradecer ao Cte. José Vilhena, meu parceiro no projecto 'voaportugal' de divulgação da história da aviação portuguesa, toda a colaboração e sugestões prestadas. Não são muitas as publicações deste género em Língua Portuguesa, pelo que se espera com esta conseguir transmitir um pouco do que foi a longa e rica história da aviação nos Açores.

Paulo Noia Pereira
Lisboa, Janeiro de 2008

THE AZORES

The Azores first came to prominence in the first half of the 15th century when the isles were discovered by Portuguese navigators and then populated by colonists from many regions of Portugal and also, on Faial, Flemish settlers. The fertile volcanic soil and mild but wet maritime climate encouraged the development of both dairy and arable farming, including wheat, tobacco, beetroot and oranges. The harbours on the major islands assumed a vital role in replenishing ships on their way back from the New World, Africa and the Orient on voyages of discovery, conquest and trade. The interest of other maritime powers was aroused, notably Spain and England, a sea battle of which period was immortalised in Tennyson's poem

"Then cried he, with a proud pale lip,
'Ho! gunner, split and sink the ship.'"

Sir Richard Greville and the Revenge

OS AÇORES

As Ilhas dos Açores foram descobertas por navegadores portugueses na primeira metade do Século XV, e foram povoadas por colonos de diversas regiões Portuguesas e, pontualmente, por estrangeiros, como foi o caso de Flamengos na Ilha do Faial. Os férteis solos vulcânicos e o clima marítimo, muito húmido, foram propícios ao desenvolvimento de algumas culturas extensivas (pastel, trigo, tabaco, beterraba sacarina) e frutícolas (laranja), que evoluíram, na segunda metade do século passado, para a pecuária e para a indústria de lacticínios. Os portos existentes nas maiores ilhas assumiram um papel importante nas escalas dos navios que regressavam do Novo Mundo, África e do Oriente, nas suas viagens de descobertas dos Séculos XV e XVI, conquistas e de trocas comerciais. A localização das ilhas despertou o interesse de outras potências marítimas, nomeadamente Espanha e Inglaterra, levando mesmo a uma batalha marítima imortalizada no poema 'A Vingança' de Tennyson. Durante o período em que os Reis de Espanha também o foram de Portugal, desde o final do Século XVI até meados do Século XVII, os açorianos mantiveram sempre a sua resistência. Mais tarde, o arquipélago tomou partido no período de Revolução e Guerra Civil Portuguesa (entre os anos de 1820 e 1833), apoiando a monarquia constitucional e repelindo os invasores adversários no ano de 1829.

No início do Século XIX a caça à baleia passou a constituir um importante pilar da economia açoriana. Caçadores

"The Revenge". Azoreans were resistant to Spain, which was the ruling power from late 16th century to mid 17th century. The Azores were involved in the Portuguese Civil War which lasted from 1820 to 1833. The Azoreans supported a constitutional monarchy and repelled invaders from the opposing side in 1829.

Whaling became a necessary part of the islands' economy at the beginning of the 19th century. The Yankee whalers took on many Azoreans as crew members, who rapidly gained in skill and authority. A strong link was thereby established with New England and particularly, Boston. In the 1890s the first of several submarine cable stations was established on Faial, making the town of Horta into one of the major telegraphic communications relay centres of the world. In the 20th century control of the islands and of the surrounding seas was coveted by the opposing powers during both World Wars. As will be seen, this had important consequences for the development of aviation, with airfields established on Terceira, São Miguel and Santa Maria.

Following the national revolution of April 25, 1974, the Portuguese Constitution granted the islands the status of Autonomous Region, with a regional Assembly and Government.

In the 21st century the mainstays of the economy are agriculture, cattle, fishing (as they have been since the very beginning) and a growing tourism sector.

There are three distinct island groups spread over 400 miles (643km) of ocean. To the west are the tiny communities of Flores

americanos integraram a tripulação de várias embarcações da caça à baleia, transmitindo rapidamente aos açorianos a sua técnica e experiência. Esta situação levou a um estreitamento dos laços com a Nova Inglaterra, em particular com a área de Boston. Em 1890, iniciou-se a instalação dos primeiros cabos submarinos de telecomunicações com passagem pelo Faial, tornando a Horta um dos principais postos telegráficos mundiais. Já no Século XX, os Açores foram cobiçados e utilizados pelos beligerantes de ambas as partes nos dois maiores conflitos, culminando, no último, por serem estabelecidas plataformas aeroportuárias de grande envergadura nas ilhas Terceira e de Santa Maria. Na sequência da Revolução que ocorreu em Portugal a 25 de Abril de 1974, a nova constituição da República Portuguesa atribuiu ao arquipélago o estatuto político de Região Autónoma, possuindo esta um Governo e uma Assembleia regionais.

Neste início de Século XXI os pilares da economia açoriana são a agricultura, pecuária e a pesca (tal como o têm sido desde sempre), tendo no entanto o turismo um papel cada vez mais importante.

Harpooning a sperm whale off the Azores

and Corvo. In the centre are grouped Faial, Pico, São Jorge, Graciosa and Terceira, while to the east are the islands of São Miguel and Santa Maria. Flores is 1100 miles (1770km) from Newfoundland and 2236 miles (3600km) from the East Coast of the United States of America, while from Santa Maria it is 869 miles (1400km) to Cabo da Roca in Portugal, the most westerly point of the European mainland. Geologically, the Azores are situated in a triangular plate at the junction of the Eurasian, African and American tectonic plates. Flores and Corvo are, geologically speaking, not actually part of Europe, being on the American plate.

THE AVIATION HERITAGE

With this background as a staging post for commerce and communication it was

Geologicamente, o arquipélago é de origem vulcânica e constitui uma micro-placa de forma triangular, situada na tripla junção das placas tectónicas Americana, a Oeste, Euro-Asiática, a Nordeste, e Africana, a Sudeste. Em função da proximidade geográfica das ilhas, considera-se que os Açores possuem três grupos de ilhas, num alinhamento geral NW-SE com mais de 400 milhas de extensão (643 km). No grupo mais ocidental estão localizadas as pequenas comunidades das Flores e do Corvo. Ao grupo central pertencem as ilhas do Faial, Pico, São Jorge, Graciosa e Terceira. No grupo ocidental estão São Miguel e Santa Maria. A ilha mais oriental, Flores, dista 1.100 milhas (1.770 km) da Terra Nova, e 2.236 milhas (3.600 km) da costa oriental dos Estados Unidos da América. A ilha mais oriental, Santa

US Marine Corps Curtiss R-6 at Ponta Delgada (USMC)

Top: *A Portuguese Navy Curtiss HS-2L in 1921 (Portuguese Navy)*

Above: *The submarine USS K-6 at Horta in December 1917 (USN)*

Left: *US personnel are welcomed to Ponta Delgada (USMC)*

natural therefore that the Azores played their part in the development of aviation in the 20th century.

Following the entry of the USA into the First World War, on January 22, 1918, the USS *Hancock* brought 10 Curtiss R-6 and two Curtiss N-9 seaplanes to Ponta Delgada on São Miguel, they were later joined by six HS-2L flying-boats which could carry a three man crew, a .30 machine gun and two 230lb bombs. These were flown by the 1st US Marines Aeronautic Company which consisted of six officers and 125 enlisted personnel under the command of Captain Francis T Evans. By the end of 1918 some 976 flights had been undertaken on anti-submarine patrols protecting convoy routes. This was the first organised US air unit to go overseas in the Great War. The HS-2Ls were transferred to the Portuguese Navy following the end of hostilities.

In May 1919 three US Navy NC (Navy

Maria, dista 869 milhas (1.400 km) do Cabo da Roca (o ponto mais ocidental da costa Portuguesa e da Europa). As Flores e o Corvo, do ponto de vista geológico, situam-se já na placa Americana.

A História da Aviação nos Açores

Com todo este passado de local privilegiado para comércio e telecomunicações, não admira que os Açores tenham um papel importante no desenvolvimento e na história da aviação no Século XX.

No seguimento da participação dos EUA na 1ª Grande Guerra, a 22 de Janeiro de 1918, o navio USS *Hancock* transportou para Ponta Delgada (na Ilha de São Miguel) 10 hidroaviões *Curtiss* R-6 e 2 *Curtiss* N-9. Seguiram-se mais 6 HS-2L, cada um com uma tripulação de 3 elementos, uma peça de artilharia de 30 polegadas e 2 bombas

The crews of the NC-1, NC-3 and NC-4 at Trespassey Bay before setting out on their historic flight (USN)

NC-4 at Horta in May 1919 (ANA)

Curtiss) flying-boats, led by Commander John H Towers, attempted the first transatlantic flight – from Long Island in the USA to Plymouth in the United Kingdom via Halifax, St Johns, the Azores and Lisbon. They departed Long Island on May 8. A chain of USN destroyers strung out across the ocean made radio contact as they came within range and fired star shells to show the way in the darkness. After more than 15 hours in the air the three flying-boats neared the Azores on May 17. NC-1 and NC-3 ran into difficulties, NC-1 sank off Corvo after landing on the ocean in heavy swells and following the failure of attempts to tow it to safety by the Greek vessel *Ionia* and the US destroyer *Gridley* but NC-3 taxied on the water for two and a half days over 205 miles (330km) to reach safety at Ponta Delgada. NC-4, flown by

de 230 libras. Estes últimos faziam parte da *US Marines Aeronautic Company*, a qual incluía 6 oficiais e 125 recrutas, sob o comando do Capitão Francis T. Evans. Até ao final de 1918 efectuar-se-iam 976 voos de patrulhas anti-submarinas, destinados à protecção das rotas marítimas utilizadas para transportes. Esta foi a primeira acção aérea organizada dos EUA fora do seu território da 1ª Grande Guerra. Com o final das hostilidades, os HS-2L seriam transferidos para a Marinha Portuguesa.

Em Maio de 1919, 3 hidroaviões US Navy NC (*Navy Curtiss*), sob o comando de John H. Towers, efectuaram a 1ª tentativa de travessia transatlântica, saindo de Long Island (nos EUA) a 8 de Maio com destino a Plymouth (Reino Unido), via Halifax, St Johns, Açores e Lisboa. Uma série de contratorpedeiros da Marinha Norte-

Lieutenant Commander AC Read landed close to the harbour of Horta on the island of Faial, after a fortunate sighting of Flores through a gap in the clouds allowed its position to be determined accurately. NC-4 (Serial No A2294) made it the whole way to England via Ponta Delgada, Lisbon and Ferrol, arriving in Plymouth on May 31.

The Royal Air Force also had plans for the Azores, as in that same year the Chief of the Air Staff proposed that one of the islands should be purchased and developed as an air base for British and Empire military aviation. Financially and politically the idea was not a practical proposition.

Five years later in October 1924, a rather

ZR-3 Los Angeles at Lakehurst NJ 1924
(via Dick Stettler)

Americana alinhou-se ao longo do oceano, efectuando as comunicações rádio com as aeronaves, e lançando foguetes de alarme para indicar o caminho na escuridão do oceano. Após mais de 15 horas no ar, as 3 aeronaves atingiram os Açores no dia 17 de Maio. Para as aeronaves números 1 e 3 (NC-1 e NC-3) as coisas complicaram-se: a NC-1 afundou-se ao largo do Corvo, após amarar num oceano com forte ondulação, e depois de tentativas fracassadas para rebocá-la para local seguro efectuadas pela embarcação grega *Ionia* e pelo contratorpedeiro americano *Gridley*. Quanto à NC-3, conseguiu atingir porto seguro em Ponta Delgada, após ter-se deslocado sobre as águas do oceano durante dois dias e meio, num percurso de cerca de 205 milhas (330 km). A aeronave NC-4, comandada por A.C. Read, conseguiu aterrar próximo do porto da Horta, na ilha do Faial, após ter tido a felicidade de, através de uma pequena aberta entre as nuvens, ter conseguido observar a ilha das Flores, e assim determinar com precisão a sua posição. Esta aeronave (número de série A2294) efectuou a totalidade do percurso até Inglaterra, passando por Ponta Delgada, Lisboa e Ferrol, chegando finalmente a Plymouth no dia 31 de Maio.

A Força Aérea Britânica *(Royal Air Force)* também tinha planos para as ilhas, tendo nesse mesmo ano um seu alto responsável proposto a aquisição de uma das ilhas para a instalação de uma base aérea para a aviação militar inglesa. Do ponto de vista financeiro e político, a ideia não teve condições para avançar.

Cinco anos depois, em 8 de Outubro

de Pinedo and the Santa Maria (Author's Collection)

Heinkel floatplane D-1220 at Horta in 1927 (Foto Jovial Horta Faial)

more comfortable passage was made by the Zeppelin LZ126 (ZR3 *Los Angeles*) which overflew Angra do Heroísmo, the capital of the island of Terceira, on October 8, on its delivery flight to Lakehurst, New Jersey. This was the first crossing of the Atlantic by a Zeppelin airship. In 1926 the Fokker T.IIIW *Infante de Sagres* arrived at Vila Franca on São Miguel, having flown from Lisbon to Madeira and thence to the Azores in the hands of João Moreira de Campos and José das Neves Ferreira, two pilots of the Portuguese Navy. Various other fixed-wing types visiting the islands and in particular Faial, included the Italian Savoia-Marchetti 55 flying-boat *Santa Maria II* flown by General the Marquis de Pinedo, a Junkers G24W, D-1230 and a Heinkel floatplane, D-1220, in 1927 and in 1928 the Dornier Napier Wal, G-CAJI, piloted by Captain Frank Courtney in an unsuccessful attempt to cross the Atlantic. Also in 1928 the giant German airship LZ127 *Graf Zeppelin* was seen passing over Santa Maria (and

de 1924, verificou-se uma outra visita um tanto ou quanto mais calma, com a passagem sobre Angra do Heroísmo (a capital da ilha Terceira) do *Zeppelin* LZ126 (ZR3 'Los Angeles'), no seu voo de entrega com destino a Lakehurst, em New Jersey. Esta foi a primeira travessia do Atlântico de um *Zeppelin*. Em 1926, o *Fokker* T.IIIW 'Infante de Sagres' chegou a Vila Franca, em São Miguel, vindo de Lisboa com passagem pela Madeira, pelas mãos dos pilotos da Aviação Naval Portuguesa João Moreira de Campos e José das Neves Ferreira. Vários outros tipos de aeronaves de asa fixa visitariam o arquipélago em 1927, em particular a ilha do Faial, incluindo o hidroavião italiano *Savoia-Marchetti* 55 'Santa Maria II' comandado pelo General Marquis de Pinedo, o *Junkers* G24W D-1230, e a aeronave flutuadora D-1220. No ano seguinte foi a vez do *Dornier Napier Wal* G-CAJI, pilotado pelo Capitão Frank Courtney, numa tentativa falhada de travessia do Atlântico. Igualmente nesse

Courtney's Dornier Wal G-CAGI (via Carlos da Silveira)

Graf Zeppelin over Horta in June 1930 (via Carlos da Silveira)

The Type 123 Amiot SECM Marszalek Pilsudski which crashed on Graciosa, killing the pilot, Ludwik Idzikowski. The navigator Kazimierz Kubala was only slightly injured, while the aircraft was a total loss. This was the pair's second attempt to cross the Atlantic, having turned back in 1928 and been rescued from the sea. They tried again on July 13, 1929, taking off from Le Bourget at 3.45 am. At 9 pm that evening Idzikowski attempted an emergency landing, during which the aircraft hit a low stone wall and overturned. (Author's Collection)

subsequently over Faial in June 1930) on its way to America. In the same year the Stinson Detroiter monoplane *American Girl*, flown by George Haldeman and Ruth Elder in another unsuccessful transatlantic venture, crash landed in the ocean, happily they were rescued and brought to Horta on Faial by a Dutch oil tanker. The Type 123 Amiot SECM *Marszalek Pilsudski* flown by the Polish pilots, Captains Idzikowski and Kubala, crashed on the island of Graciosa in 1929, killing Idzikowski.

ano passou sobre Santa Maria o dirigível alemão gigante LZ127 'Graf Zeppelin' em viagem entre a Europa e a América. Passaria novamente, agora sobre o Faial, em Junho de 1930. Também no ano de 1928, o monoplano *Stinson Detroiter* 'American Girl', pilotado por George Haldeman e Ruth Elder sofreu um acidente ao amarar no oceano no decurso de mais uma tentativa frustrada de travessia do Atlântico. Felizmente ambos os tripulantes foram salvos por um navio petroleiro

The Avro 504K Açor at Achada in October 1930 (via M Martins)

Avro 504K Açor in flight at Achada (via M Martins)

The pressure was now on the Portuguese government to build an airstrip in the Azores, a survey was carried out which resulted in the laying out of Achada Airfield on Terceira. The first flight was made on the October 4, 1930 by the Avro 504K *Açor* flown by Captain Frederico de Melo - the first Azorean aviator and flying instructor.

holandês que estava na zona, tendo sido transportados sãos e salvos para a Horta. Outro acidente, desta vez de piores consequências, aconteceu em 1929 na ilha da Graciosa, quando a aeronave *Type 123 Amiot SECM 'Marszalek Pilsudski'*, tripulada pelos pilotos polacos Capitães Idzikowski e Kubala se despenhou, provocando a morte de Idzikowski.

Dornier DO-X at Horta in 1932 (Foto Jovial Horta Faial)

Charles Lindbergh's Lockheed Sirius at Horta 1933 (ANA)

Dornier Do-18E taking off (Author's Collection)

Then in May 1932, D-1929, the magnificent Dornier Do-X flying boat commanded by the World War One German seaplane ace, Friedrich Christiansen, landed at Horta on its return journey from New York via Newfoundland. The following year the great aviator Charles Lindbergh and his wife, Anne, visited Horta in a Lockheed *Sirius* floatplane while on a survey trip for the famous American airline, Pan Am. In August 1933, the Savoia-Marchetti 55X flying-boat formation, commanded by Italo Balbo, landed in the Azores on their return from the World's Fair in Chicago. One of the aircraft had to be towed the last 200 miles (321 km) when it was forced to alight in mid-ocean. In 1934 the site at Lajes on Terceira was chosen as an airfield

A pressão estava agora sobre o Governo Português, no sentido de construir um aeródromo nos Açores. Os estudos efectuados levaram ao campo da Achada, na ilha Terceira, tendo-se efectuado o primeiro voo a 4 de Outubro de 1930 pelo *Avro* 504K 'Açor', pilotado pelo Capitão Frederico de Melo – o primeiro aviador e instrutor de voo açoriano.

Em Maio de 1932 amarava no porto da Horta o magnífico *Dornier* Do-X, comandado pelo alemão Friedrich Christiansen (um veterano piloto alemão de hidroaviões da 1ª Grande Guerra), regressando de New York com passagem pela Terra Nova. No ano seguinte seria a vez do grande aviador Charles Lindbergh e sua esposa, Anne, visitarem a Horta num flutuador *Lockheed Sirius*, no decurso de

but no further action was taken at that time.

In the autumn of 1936 the catapult equipped MV *Schwabenland* sailed to Horta to act as a support vessel for a series of mail carrying experimental flights by the Deutsche Luft Hansa Dornier Do-

uma viagem experimental, preparando o início das operações da histórica companhia americana Pan Am (Pan American World Airways). Em Agosto de 1933, uma formação de hidroaviões *Savoia-Marchetti 55X* comandada por Italo Balbo, passou também pelos Açores, no seu regresso da Feira Mundial de Chicago. Uma das aeronaves teve de ser rebocada nas últimas 200 milhas (321 km), após ter sido forçada a amarar. No ano seguinte o planalto das Lajes, na ilha Terceira, seria escolhido para a localização de um campo de aviação, não tendo no entanto o projecto tido qualquer desenvolvimento adicional nessa altura.

No Outono de 1936, o navio MV '*Schwabenland*' equipado com uma catapulta fundeou ao largo da Horta, para funcionar como estação de apoio a uma série de voos experimentais de correio aéreo a serem efectuados pela *Deutsche Luft Hansa*. Os voos seriam efectuados pelas aeronaves *Dornier* Do-18E D-ABYM '*Aeolus*' e D-ARUN '*Zephyr*'. Entre os meses

Top: *Savoia-Marchetti 55X landing at Horta 1933 (via Carlos da Silveira)*

Left: *MS Schwabenland and Ha139 Nordmeer being winched aboard (Author's Collection)*

Short S.23 G-ADHM at Horta 1937 (Foto Jovial Horta Faial)

18E flying-boats D-ABYM *Aeolus* and D-ARUN *Zephyr*. Four transatlantic round trips were made between the beginning of September and the end of October. The *Schwabenland* and the *Friesenland* were also used as tenders for German Blohm und Voss Ha 139 4-engine seaplanes, D-AMIE *Nordmeer*, D-AJEY *Nordwind* and D-ASTA *Nordstern* in 1937 and 1938, which flew both North and South Atlantic routes. Horta was also the location of a German operated seaplane repair dock at its "Mid-Atlantic Air Port".

Further developments involving flying-boats took place as the decade wore on. In 1937 the Pan Am Sikorsky S-42B NC16736 *Clipper III*, in the summer and the Short S.23 Empire Class G-ADHM *Caledonia* of Imperial Airways, on October 6-7, undertook a series of transatlantic proving flights. Horta was one of the ports of call

de Setembro e Outubro seriam efectuadas 4 viagens experimentais transatlânticas de ida e volta. O navio 'Schwabenland', bem como o 'Friesenland', foram também testados pelos hidroaviões de 4 motores *German Blohm und Voss Ha 139*, D-AMIE 'Nordmeer', D-AJEY 'Nordwind' e D-ASTA 'Nordstern' em 1937 e 1938, para apoio à realização de rotas no Atlântico Norte e Sul. A importância destas experiências foi tal que a Alemanha viria a instalar na Horta uma estação para reparação de hidroaviões.

À medida que a década avançava, registavam-se mais desenvolvimentos relacionados com a operação dos hidroaviões. No Verão de 1937, o *Sikorsky S-42B NC16736 Clipper* III da Pan Am, efectuou uma série de voos de teste transatlânticos. Nos dias 6 e 7 de Outubro desse ano, era a vez do *Short S.23 Empire Class* G-ADHM 'Caledonia' da *Imperial Airways*.

on the southern route. Captain George Thompson of Imperial Airways visited Faial and Terceira in November 1937 surveying sites capable of being developed as aerodromes able to take large landplanes. He was not particularly impressed by Feteira, a few miles to the west of Horta and not far from the current airport. He drew a sketch map of a much better site near Praia

A Horta era um dos pontos de escala da rota sul. Tendo em vista a escolha de um local apropriado para a construção de uma pista de aterragem para aeronaves terrestres de grande dimensão, deslocou-se ao Faial e à Terceira o Comandante George Thompson da *Imperial Airways*, em Novembro de 1937. O local da Feteira (algumas milhas a oeste da Horta) não o convenceu, optando

Short S.20 G-ADHJ Mercury moored off Horta in 1938 (via Carlos da Silveira)

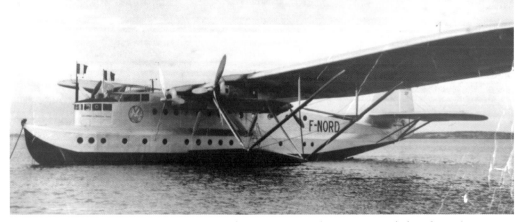

Air France Latécoère 521 F-NORD Lieutenant de Vaisseau Paris (via Margaret O' Shaughnessy)

da Vitória on Terceira, which formed the basis of the subsequent establishment of a first class airfield at Lajes.

Additional significant visiting aircraft included; in July 1938 the mailplane seaplane Short S.20 G-ADHJ *Mercury* which Captain Don Bennett flew from Botwood, Newfoundland to England via the Azores and Lisbon, the six-engine French Latécoère 521 F-NORD *Lieutenant de Vaisseau Paris* and then on March 26, 1939 came the proving flight of the magnificent Pan Am Boeing 314 flying-boat NC18603 *Yankee Clipper*. Two months later there followed the first scheduled transatlantic mail service by the *Yankee Clipper* New York - Azores - Lisbon - Marseilles, carrying one ton of mail. In the words of the US President Franklin D Roosevelt this was, "The world's first regularly scheduled airmail service between the USA and Europe." In June the first passengers were carried, this time by NC-18604 *Atlantic Clipper* and then NC-18605 *Dixie Clipper*.

antes por um local perto da Praia da Vitória (na Terceira), onde viria a nascer a base da Lajes.

Outras aeronaves a visitar os Açores nesse período foram: em Julho de 1938, o hidroavião-correio *Short* S.20 G-ADHJ '*Mercury*' pilotado pelo Comandante Don Bennett, voando de Botwood (na Terra Nova) para Inglaterra, via Açores e Lisboa; a aeronave francesa de 6 motores *Latécoère* 521 '*Lieutenant de Vaisseau Paris*', F-NORD; em 26 de Março de 1939, seria a vez de um voo de teste do magnífico Boeing 314 NC18603 '*Yankee Clipper*' da Pan Am. Em Maio de 1939 iniciava-se o primeiro serviço regular transatlântico de transporte de correio, entre Nova Iorque-Açores-Lisboa-Marselha, operado pelo '*Yankee Clipper*', transportando cerca de uma tonelada de correio. Nas palavras do então Presidente dos EUA, Franklin D. Roosevelt, este era "o primeiro serviço regular de correio entre os EUA e a Europa". Em Junho, seriam transportados os primeiros passageiros,

Boeing 314s at Horta (Foto Jovial Horta Faial)

First Day Cover First Flight Lisbon-Azores-New York by the Yankee Clipper in May 1939 (via António Monteiro)

Boeing 314s in Horta Harbour (Foto Jovial Horta Faial)

A Pan Am launch in Horta's harbour (via Carlos da Silveira)

Gladiators display over Angra do Heroísmo on August 1, 1941 (via M Martins)

The southern route terminated at Lisbon with the outbreak of war in September. This route, via the Azores, was necessary as from October to May the flying-boat base at Botwood in Newfoundland was blocked by the icy, wintery weather conditions.

In June 1940 the London to Lisbon link re-established to connect with the Pan Am *Clippers*. In November 1943 BOAC conducted a preliminary investigation for a Prestwick-Azores-Montreal transatlantic route. BOAC Boeing 314As also used Horta as a wartime port of call, G-AGBZ *Bristol*, G-AGCA *Berwick* and G-AGCB *Bangor*.

WORLD WAR II

With the coming of war the pace quickened. In the summer of 1941 Santana

pelos *Clipper* NC-18604 '*Atlantic Clipper*' e NC-18605 '*Dixie Clipper*'. Com o início da Grande Guerra, em Setembro, a rota passou a ter o seu término em Lisboa, deixando de prosseguir até Marselha. Esta rota, via Açores, tinha a vantagem de continuar a ser operada no período entre Outubro e Maio, quando a base de hidroaviões existente em Botwood (Terra Nova), estava inoperacional devido às formações de gelo.

Em Junho de 1940 era restabelecida a ligação entre Londres e Lisboa, dando aqui ligação ao serviço *Clipper* da Pan Am. Em Novembro de 1943 seria a vez da BOAC efectuar os estudos preliminares para a abertura de uma rota transatlântica Prestwick – Açores – Montreal. Algumas aeronaves Boeing 314 da BOAC utilizaram a Horta como porto de escala no período

airfield on São Miguel became operational and was soon home to the Portuguese Air Force - nine Gloster Gladiator IIs of Expeditionary Fighter Squadron No.1. Not long afterwards the nine Gladiators of Expeditionary Fighter Squadron No.2 arrived on Terceira, flying from Achada until Lajes was ready. Another seminal event occurred on August 21, 1941 with the formation of the Sociedade Açoriana de Estudos Aéreos (Azorean Society of Aerial Studies) - a study group from which the Azores own airline would develop. These visionaries were Augusto Rebelo Arruda, José Bensaúde, Vasco Bensaúde, Augusto d'Athaíde Corte Real Soares de Albergaria and Albano Freitas da Silva Oliveira. It was realised that the Azores had to develop aerial internal lines of communication.

da Guerra, casos da G-AGBZ '*Bristol*', G-AGCA '*Berwick*' e G-AGCB '*Bangor*'.

A Segunda Grande Guerra

Com o início da Guerra, a situação modificou-se. No Verão de 1941 ficou operacional a pista de Santana (na ilha de São Miguel), tornando-se a base das 9 aeronaves *Gloster Gladiator* II, do Esquadrão de Caça Expedicionário Nº1 da Força Aérea Portuguesa. Pouco tempo depois era a vez dos 9 *Gladiators* da Esquadrão de Caça Expedicionário Nº2 chegar à Terceira, operando a partir do campo da Achada até à conclusão das Lajes. Outro evento marcante ocorreria a 21 de Agosto de 1941, com a formação da Sociedade Açoriana de Estudos Aéreos Lda.,

Humberto Delgado (5th from the left) with the first JU-52, on Terceira on April 30, 1942 (Fundação Humberto Delgado)

As with many other island communities worldwide, the aeroplane has not only been a lifeline, particularly in the winter months, allowing once isolated locations to survive and prosper but has also been a means of bringing them closer to the outside world. The initial air transport service in the Azores was provided by five Junkers JU-52/3ms of the Portuguese Air Force operating weekly between Lajes and Santana from April 30, 1942 until January 1944. By a coincidence the initial service was witnessed by Humberto Delgado, who was working on Terceira to prepare for the arrival of the RAF: he will feature again in this story.

de onde viria a nascer a companhia aérea dos Açores. Os visionários da época foram Augusto Rebelo Arruda, José Bensaúde, Vasco Bensaúde, Augusto d'Athaíde Corte Real Soares de Albergaria e Albano Freitas da Silva Oliveira. Concluíram que os Açores necessitavam de uma rede de linhas aéreas entre as ilhas. Tal como noutros arquipélagos em várias partes do mundo, o avião permite a sobrevivência das populações mais remotas, em particular no Inverno, tornando-as mais próximas do mundo exterior. O primeiro serviço de transporte aéreo nos Açores foi operado pelos 5 *Junker* JU-52/3ms da Força Aérea

HMS Fencer (Author's Collection)

Off-loading a British truck at Porto Pipas, Terceira (via M Martins)

Between 1943 and 1945 several RAF squadrons were based at Lajes on vital maritime patrol duties, forming No.247 Group of Coastal Command. In October and November 1943, until the RAF took over, Fairey Swordfish of No.842 Naval Air Squadron from the escort carrier HMS *Fencer* operated anti-submarine patrols from Lajes. The importance of the work of the aircraft based there in closing the Azores Gap and enhancing the aerial protection of convoys and detection of U-boats cannot be estimated too highly. The RAF squadrons involved were Nos 172, 179, 206, 220, 233, 269 and 280. The types operated included Boeing B.17 Flying Fortresses, Consolidated B.24 Liberators, Vickers Wellingtons and Warwicks, Lockheed Hudsons, Miles Martinets, Supermarine Spitfires and Walruses. Some 3115 sorties were flown, 38 submarines

Portuguesa, ligando semanalmente as Lajes a Santana no período entre 30 de Abril de 1942 e Janeiro de 1944. Curiosamente o Tenente-Coronel Humberto Delgado, que será de novo referido mais à frente, assistiu ao início dos serviços, dado encontrar-se na Terceira preparando a chegada da Força Aérea Britânica (RAF).

Entre 1943 e 1945, vários esquadrões da RAF estiveram baseados nas Lajes, efectuando patrulhamento marítimo e formando o Grupo de Comando Costeiro Nº247. Em Outubro e Novembro de 1943, e até à instalação da RAF nas Lajes, o *Fairey Swordfish* da Esquadra Aérea Naval Nº842 (do porta-aviões HMS *Fencer*) efectuou patrulhas anti-submarinas à partida das Lajes. As aeronaves aqui baseadas contribuíram para a protecção aos corredores marítimos de abastecimento, ao efectuarem a detecção dos *U-boats*

RAF Flying Fortress IIs on Terceira in December 1943 (via M Martins)

Vickers Warwick with airborne air-sea rescue lifeboat in the Azores April 1945 (Author's Collection)

220 Sqn Liberator GRVI KG904, Lagens, Azores April 1945 (Author's Collection)

Personnel and Spitfire of No.269 Sqn at Lagens (via M Martins)

were detected of which 19 were sunk. Lajes or Lagens (as it was known to the British), also became an important United States Army Air Force (USAAF) staging post for aircraft, equipment, medical evacuations and personnel on their way to and from the European and North African theatres of operations and was of vital importance in the build up to D-Day.

The first scheduled flight was made by a Douglas C-54 on December 29, 1943; two contract carriers, American Airlines and TWA were selected to inaugurate the Central Atlantic service. During the winter of 1944/45 a passenger schedule was begun from Washington to Paris via Newfoundland and the Azores, this was much more like an airline service as passengers made reservations and travelled in the greater comfort of airline style seats rather than sitting on the fold-down canvas type. Between November 1943 and June

(submarinos alemães). Os esquadrões envolvidos foram os Nºs 172, 179, 206, 220, 233, 269 e 280. Os tipos de aeronaves incluíram o Boeing B.17 *Flying Fortresses*, *Consolidated B.24 Liberators*, *Vickers Wellingtons* e *Warwicks*, *Lockheed Hudsons*, *Miles Martinets*, *Supermarine Spitfires* e *Walruses*. Foram efectuadas 3.115 missões, tendo sido detectados 38 submarinos, dos quais 19 foram neutralizados. As Lajes (ou *Lagens* nome por que ficou conhecida pelos britânicos) assumiram também um papel importante para a Força Aérea Norte-Americana (USAAF) que as utilizou como ponto de abastecimento, para evacuações médicas, trânsito de militares entre os teatros de operações na Europa ou no Norte de África e os EUA, tendo tido um papel de relevo na preparação do Dia-D.

O primeiro serviço regular nas Lajes foi efectuado por um *Douglas C-54* no dia 29 de Dezembro de 1943. Duas companhias

Left: Douglas *C-54 being refuelled at Lagens (USAF)*

Below: *An aerial view of Lagens in 1943 (via M Martins)*

1946, Lt Col Humberto Delgado arriving at Santa Maria in an Avro York to complete the inspection for civil air traffic certification (ANA)

SANTA MARIA, AZORES

SANTA·AIRWAYS

Dear sir: This is to verify your reception report of
the Santa Maria Airways Radio Station, operating on
4220 kcs., on November 20th, 1946.

Power Output - 400 watts
Operated by : Portuguese   Signed ...

Top: *Confirmation of radio message
from Santa Maria November 20, 1946
(via António Monteiro)*

Above: *C-47 224290, the first US aircraft
to land on Santa Maria August 7, 1944
(Gualter Cordeiro/ANA)*

Right: *The transfer of Santa Maria
airfield from the US to Portugal in 1946
(ANA)*

A Boeing B-17 of the Portuguese Air Force (via M Martins)

1945 some 8689 aircraft transited through Lajes. Following a secret agreement between the USA and Portugal, work was begun on a new airfield on Santa Maria, a front contract being signed with Pan Am on August 10, 1944. On May 15, 1945 the airfield on Santa Maria was officially opened with 15 C-54s landing on the first day, initially as USAAF transit camp with three runways and a large parking ramp, capable of accommodating 150 four-engine aircraft. More than 7000 landings took place in the first four and a half months. The first Portuguese Government aircraft to land was an Avro Anson on July 11, 1945. After the end of the war it became a civil airport. Meanwhile at Lajes, the British flag was lowered on June 2, 1946. Only a month later the RAF was back with 16 Avro Lancasters of No.35 Squadron passing through en-route to a post-war goodwill tour of the USA. Lajes became the base of two Portuguese squadrons flying B-17s on Search And Rescue (SAR) duties and Douglas C-54 transports. The US military presence was re-located from Santa Maria to Lajes.

americanas – *American Airlines* e TWA – foram escolhidas para inaugurar o serviço do 'Atlântico Central'. No Inverno de 1944/45 iniciou-se um serviço regular de passageiros ligando Washington a Paris, via Terra Nova e Açores, em que o serviço prestado aos passageiros já se assemelhava a um serviço de linha aérea, com reservas prévias e poltronas (em lugar dos assentos de lona rebatíveis até então utilizados). Entre Novembro de 1943 e Junho de 1945 terão passado pelas Lajes 8.689 aeronaves. Na sequência de um acordo secreto entre os EUA e Portugal, iniciou-se a construção de uma nova pista na ilha de Santa Maria, assumida pela Pan Am, após a assinatura do respectivo contrato em 10 de Agosto de 1944. A nova pista seria inaugurada a 15 de Maio de 1945, tendo-se registado a aterragem de 15 aeronaves C-54 no primeiro dia. O novo aeroporto funcionava como um aeródromo de trânsito da USAAF, possuindo 3 pistas e uma enorme placa de estacionamento capaz de acomodar 150 aeronaves quadrimotoras. Nos primeiros quatro meses e meio de operação registaram-se mais de 7.000

Pan Am DC-4 (via Dona Phelan)

Between 1939 and 1945 the Boeing *Clippers* of Pan Am had made 1306 scheduled landings at Horta but the great days of the flying-boats were over and Santa Maria became an important link in the chain for the development of landplane transatlantic services. In July 1946 Air Vice-Marshal Don Bennett, the Managing Director of British South American Airways (BSAA), made a proving flight from London to the West Indies via Santa Maria in the Avro Lancastrian G-AGWI *Star Land*. On September 2, 1946 came BSAA's first flight to Caracas via the Azores and Bermuda, using the Lancastrian G-AGWL *Star Guide*, flown by Captain Gordon Store. The first US proving flight was made by a Pan Am Lockheed Constellation on October 29, 1946. Also in that year, Santa Maria was chosen as the centre for the North Atlantic Air Traffic Control Flight Information Region thanks to a proposal by the Portuguese representative at the International Civil Aviation Organisation (IACO), Lieutenant Colonel Humberto Delgado, who was also the Director of the Secretariat for Civil Aviation. The initial trans-oceanic air traffic radio communication took place

aterragens. A primeira aeronave oficial Portuguesa a aterrar no novo aeroporto foi um *Avro Anson* no dia 11 de Julho de 1945. Com o final da Guerra, o aeroporto seria convertido à utilização civil. Entretanto, nas Lajes, a bandeira britânica era retirada a 2 de Junho de 1946. Mas cerca de um mês depois, a RAF estava de volta com a passagem de 16 *Avro Lancaster* da 35ª Esquadra, que rumavam aos EUA para uma comemoração do final da Guerra. A Força Aérea Portuguesa iria então basear nas Lajes duas Esquadras, uma para missões de busca e salvamento (com aeronaves B-17) e outra para missões de transporte (com *Douglas* C-54). Toda a presença militar Norte Americana foi então transferida de Santa Maria para as Lajes.

Entre 1939 e 1945 os *Boeing Clipper* da Pan Am efectuaram 1.306 escalas na baía da Horta. No entanto, a sua época áurea estava a terminar. Com o surgimento dos serviços operados por aeronaves transatlânticas terrestres, o papel principal seria assumido pelo aeroporto de Santa Maria. Em Julho de 1946, o Vice-Marechal do Ar Don Bennett e o Administrador da British South Americam Airways (BSAA) participaram num voo de ensaio entre Londres e as Índias Ocidentais no *Avro Lancastrian* G-AGWI 'Star Land', que escalou Santa Maria. Em 2 de Setembro de 1946 efectuou-se o primeiro voo da BSAA com destino a Caracas, passando pelos Açores e Bermudas, efectuado pelo *Lancastrian* G-AGWL 'Star Guide', pilotado por Gordon Store. O primeiro voo de ensaio de uma companhia norte-americana realizou-se em 29 de Outubro de 1946, com um

also on October 29 between Santa Maria/ Gander/New York and a Pan Am Boeing Stratocruiser, Clipper 101, bound for La Guardia Airport, New York from London Airport. It was Delgado's responsibility not only to oversee the transfer of civil aviation facilities from US to Portuguese control but also to develop the aircraft handling and air traffic control infrastructure at his favoured site of Santa Maria (which he believed was technically better suited than Lajes for that purpose) during the summer and autumn of 1946, until its official opening to international traffic on November 28 of that year.

Then in May 1947 there commenced a series of trials of in-flight refuelling The BSAA Lancasters G-AHJV and G-AHJT flew from London Airport to Bermuda non-stop, being replenished in the air in the vicinity of the Azores by the Lancaster tankers G-AHJW and G-AHJU of Sir Alan Cobham's Flight Refuelling Ltd (FRL). which were based at Santa Maria airfield. In-flight communications were directed from the Cable and Wireless station on Faial - which building now houses a hotel overlooking the bay where the flying-boats moored in former times. Airborne radar equipment was used to facilitate final interception of the receiver aircraft by the tanker. A series of 11 weekly return trips was made between May and August. No fare paying passengers or freight were carried but a number of journalists and Ministry of Civil Aviation representatives participated in some of the flights. The trial was deemed a success technically but was never put into commercial service.

Lockheed Constellation da Pan Am. Nesse mesmo ano Santa Maria seria escolhida para a localização do Centro de Controlo de Tráfego Aéreo da Região de Voo do Atlântico Norte, na sequência de uma proposta apresentada pelo representante português na Organização Internacional da Aviação Civil (ICAO), Tenente-coronel Humberto Delgado. Humberto Delgado era também o Director do Secretariado da Aviação Civil (SAC), entidade reguladora da aviação civil em Portugal. A primeira comunicação rádio com tráfego transatlântico efectuou-se a 29 de Outubro, entre Santa Maria/Gander/Nova Iorque e um *Boeing Stratocruiser 'Clipper 101'* da Pan Am, que procedia de Londres com destino a La Guardia (Nova Iorque). A Humberto Delgado estava atribuída a responsabilidade de supervisionar a transferência para a soberania Portuguesa dos aeroportos até aí controlados pelos EUA, e também a coordenação de todo o desenvolvimento necessário para a sua utilização civil, que se iniciaria em 28 de Novembro de 1946. Santa Maria era o aeroporto que Humberto Delgado preferia, considerando-o mesmo tecnicamente mais bem localizado que as Lajes.

Em Maio de 1947 iniciaram-se testes de reabastecimento de aeronaves em voo: os *Lancasters* G-AHJV e G-AHJT da BSAA voavam de Londres para as Bermudas, sendo abastecidos no ar, na zona dos Açores, pelos aviões tanques *Lancaster* G-AHJW e G-AHJU da 'Sir Alan Cobham's Flight Refuelling Ltd.', baseados em Santa Maria. As comunicações eram efectuadas a partir da estação de comunicações

A pair of FRL/BSAA Lancasters re-fuelling over the Azores 1947 (Cobham plc)

FRL/BSAA Lancaster G-AHJV over the Azores in 1947 (Cobham plc)

SATA Commences Operations

On June 15, 1947 the first SATA (Sociedade Açoreana de Transportes Aéreos) flight took to the air, from São Miguel to Santa Maria in a seven passenger Beechcraft Model UC-45, CS-TAA named *Açor* after the islands' emblem, the Azorean Goshawk. This was the beginning of its long service to the people of the Azores operating internal air services within the archipelago carrying passengers, freight and mail.

Tragically, only a few weeks later, on August 5, while on approach to Santa Maria after performing a let down procedure, it crashed into the water. The exact place where the aircraft went down is unknown, debris was found floating ashore. All on board were killed. This was a heavy blow for a small, family run company but they had the courage to pursue their vision despite such a loss. Two new aircraft were purchased, a pair of nine-passenger DH 104 Doves, CS-TAB and CS-TAC, allowing regular scheduled services to begin in summer 1948.

existente no Faial – edifícios que albergam actualmente o Hotel Fayal, com vista para a baía onde os hidroaviões estacionavam na época. Para ajudar à junção final entre a aeronave abastecedora e a abastecida, era utilizado um equipamento radar de apoio. Entre Maio e Agosto efectuaram-se 11 viagens semanais nas quais não foram transportados passageiros nem carga. No entanto, em algumas, participaram jornalistas e representantes do Ministro da Aviação Civil Britânico. Embora tecnicamente os testes tenham sido um sucesso, a operação comercial nunca avançou.

Início das Operações da SATA

A 15 de Junho de 1947, descolou de São Miguel com destino a Santa Maria, o primeiro voo comercial da SATA (Sociedade Açoriana de Transportes Aéreos Lda.) efectuado por um *Beechcraft* UC-45 com capacidade para sete passageiros. À aeronave, de matrícula CS-TAA, tinha sido dado o nome de 'Açor', numa homenagem

June 1947 on Santa Maria - SATA's First Commercial Flight (SATA)

Above: *SATA Dove CS-TAC at Aerovacas (via G Hochleitner)*

Below: *The control tower at Santana - Aerovacas (ANA)*

Terceira was soon included in the route structure and for many years flights were only operated between those three islands: São Miguel, Santa Maria and Terceira. The Doves trundled away faithfully for the next three decades and more.

The old Portuguese Air Base of Santana,

a este símbolo do arquipélago. Este dia marcou o início do transporte aéreo de passageiros, carga e correio entre as ilhas, no que viria a ser um importante serviço para a população dos Açores.

Tragicamente, algumas semanas mais tarde – a 5 de Agosto – aquela aeronave despenhar-se-ia no mar, ao efectuar a aproximação a Santa Maria. Embora o local exacto do acidente não seja conhecido, alguns destroços dariam à costa da ilha de Santa Maria. O acidente provocou a morte a todos os ocupantes do aparelho. Este acidente significou um enorme revés para a pequena companhia que então dava os seus primeiros passos. Os seus proprietários tiveram no entanto a coragem e a perseverança para manter os seus objectivos iniciais, mesmo após tão grande perda. Foram então adquiridas duas novas aeronaves – DH-104 *Dove* – matriculadas CS-TAB e CS-TAC. A chegada destas aeronaves permitiu o reinício dos serviços regulares no Verão de 1948.

Em breve teriam início os voos para a ilha Terceira, mantendo-se por longos anos a operação apenas entre aquelas três ilhas: São Miguel, Santa Maria e Terceira. Os

The tower and hangar at Santana in 1956 (ANA)

which was now SATA's base of operations, also rejoiced in the unofficial name of "Aerovacas" or "air cows". This was due to the fact that the airline shared the grass field with cattle, which helped to keep the grass trimmed after the removal of the pierced steel planking (PSP) laid during the military operation of the field and only strayed on the runway now and again. It had a concrete control tower, two sheds for the passengers and two hangars. Everything had to be weighed before loading, which dismayed some of the female passengers. The priorities were medicines, yeast for Santa Maria bread, mail, passengers and baggage. At quiet times, between flights some of the staff would gather together to go hunting for rabbits on the airfield. The weather presented problems in those early days – when it was wet a Jeep would be taken out along the runway at speed and then braked hard. If it didn't skid too much then a signal would be sent saying it was safe to land. There was no flying on Sundays. Night flying involved the laying of gooseneck oil lamps, while procedural

Dove asseguraram a operação inter-ilhas por longos anos.

O Aeródromo de Santana – antiga base aérea Portuguesa que se tornou a base da operação da SATA – era conhecido também pelo nome não oficial de 'Aerovacas'. Esta designação provinha do facto de as aeronaves partilharem o relvado com o gado, que aliás ajudava à manutenção da relva da pista, evitando que crescesse em demasia após a remoção das placas metálicas perfuradas que eram tradicionalmente utilizadas nos aeródromos militares. O Aeródromo possuía uma torre de controlo em cimento, dois abrigos para passageiros e dois hangares. Antes do embarque, e como era hábito na época, era necessário pesar tudo para que se procedesse à centragem do avião, o que causava algum embaraço em especial aos passageiros do sexo feminino. As prioridades para o embarque estavam definidas da seguinte forma: medicamentos, fermento para o pão de Santa Maria, correio, passageiros e, por último, bagagem. Nas horas mortas, entre voos, o pessoal juntava-se para caçar

BSAA Avro Tudor 4 G-AHNN Star Leopard (Author's Collection)

SANTA MARIA - AÇORES

Santa Maria October 1948 (Ida Bertrand via António Monteiro)

landings in low visibility conditions demanded high flying skills and a co-pilot proficient with a stopwatch.

BSAA introduced the Avro Tudor on the London - Azores - Bermuda service in September 1947, the flight time from London to the Azores was eight hours ten minutes. The leg from Santa Maria to Bermuda, over more than 2000 miles of storm-tossed seas, was at that time the longest ocean crossing undertaken by

coelhos no perímetro do aeródromo. As condições meteorológicas afectavam naquela época de forma significativa a operação das aeronaves. Em épocas de chuva, e para testar a operacionalidade da pista, era utilizado um jipe que seguia pela pista a velocidade moderada, sendo de seguida travado bruscamente. Caso o jipe não ficasse muito atolado, a pista era considerada operacional. Aos Domingos, o aeródromo encerrava. A operação nocturna obrigava à colocação de candeeiros a óleo ao longo da pista, e as aterragens em condições de baixa visibilidade exigiam elevada perícia da tripulação e a utilização de um cronómetro por parte do Copiloto.

Em Setembro de 1947, a BSAA introduziu o *Avro Tudor* na sua rota Londres-Açores-Bermudas, tendo o percurso Londres-Açores (Santa Maria)

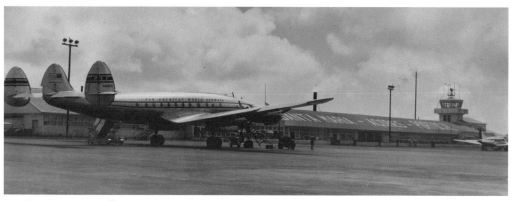

Pan Am Super Constellation N88855 Clipper Undaunted and a SATA Dove at Santa Maria in 1967 (ANA)

commercial airliners. The prevailing winds were usually unfavourable, there were no weather ships in position, commercial shipping was much lower in density than on the North Atlantic route, so the en-route weather information was much scantier than desired. Over the next few years came further events, two tragic in nature. Firstly there was the loss of the BSAA Avro Tudor 4 G-AHNP *Star Tiger* en-route London - Lisbon - Azores - Bermuda - Cuba in January 1948, when one of those who perished was Air Marshal Sir Arthur "Mary" Coningham, who had commanded the Desert Air Force in World War Two. Then there was the crash of Air France Lockheed L-749 Constellation F-BAZN which flew into the highest mountain on São Miguel after two failed attempts at landing on Santa Maria in very poor weather conditions in October 1949, the crew having mistaken the lamps of the village of Nordeste for the airport lights. There was also the start of services by Douglas DC-4s of Cubana on the route Havana -Bermuda - Santa Maria - Lisbon - Madrid in April 1948; the vital role played by Lajes in helping to maintain the steady flow of US aircraft participating

uma duração de oito horas e dez minutos. O percurso de Santa Maria até às Bermudas, voado sobre mais de duas mil milhas de mar tempestuoso, era à época, o maior trajecto oceânico efectuado por aviões comerciais. Os ventos predominantes eram, geralmente, desfavoráveis, e não existiam navios meteorológicos na rota. Dado que também o tráfego marítimo comercial era muito menor que no Atlântico Norte, a informação meteorológica em rota era escassa. Nos anos seguintes ocorreram alguns acontecimentos, dois dos quais trágicos. Primeiro ocorreu a perda do *Avro Tudor* 4 da BSAA '*Star Tiger*', matrícula G-AHNP, ao efectuar um voo Londres - Lisboa - Açores - Bermudas - Cuba em Janeiro de 1948. Nesse acidente perdeu a vida o Oficial da Força Aérea Inglesa *Sir* Arthur 'Mary' Coningham que tinha comandado a Força Aérea no Deserto Africano, no decurso da Segunda Grande Guerra. Posteriormente, em Outubro de 1949, ocorreu outro acidente, desta vez com um Lockheed L-749 Constellation da Air France, matrícula F-BAZN, que embateu contra a montanha mais alta de São Miguel (1100 metros), após duas tentativas

Frank Sinatra and Phil Silvers at Lajes (USAF)

in the Berlin airlift in 1948-49, over 3000 Douglas C-47s and C-54s passing through; later in 1949 Iberia also began to use Santa Maria as a refuelling stop on its South American services and from March 1950 BOAC Constellations also start using Santa Maria. For over a decade Santa Maria was "the biggest aircraft carrier in the Atlantic", hosting Douglas DC-4s and DC-6s, Constellations and the iconic Stratocruisers. Accommodation for night-stopping passengers and crews at Santa Maria has been described as follows, "A single-storey, pre-fabricated building which consisted of a lounge, bar and dining room,

falhadas para aterrar sob más condições atmosféricas na Ilha de Santa Maria, por ter confundido a iluminação da Vila do Nordeste com as luzes do Aeroporto. De realçar também o início dos serviços da Cubana de Aviación, operados com DC-4, na rota Havana - Bermudas - Santa Maria - Lisboa - Madrid, em Abril de 1948. O contributo vital desempenhado pelas Lajes para a manutenção da ponte aérea de aeronaves norte-americanas para Berlim, em 1948-49, traduziu-se na passagem de mais de 3.000 *Douglas* C-47s e C-54s! Mais tarde, já em 1949, a companhia espanhola Ibéria também passou a escalar Santa Maria

which led off to rows of small bedrooms on either side of lengthy corridors." Among famous passengers passing through were Bing Crosby, Bob Hope, Charlton Heston, Vivien Leigh, Frank Sinatra and Arturo Toscanini. Other airlines included Pan Am, TWA, Canadian Pacific Air, Aerovias Mexico, Swissair, Iberia, Air France, Lufthansa and KLM. The enduring mystery of the Bermuda Triangle has an Azores connection, as three aircraft were lost without trace in that area while on flights to the islands: a US Navy R7V-1 Lockheed Super Constellation in October 1954, a US Air Force Lockheed C-133 Cargomaster in May 1962 and another C-133 in September 1963. On a happier note, in 1962 TAP Air Portugal introduced flights from Lisbon to Santa Maria, via Porto Santo, in Madeira, using Sud-Aviation Caravelles and from time to time, Lockheed Super Constellations. The 1950s and 1960s were a time of great stability for Santa Maria with

para reabastecimento, nos seus voos para a América do Sul, o mesmo acontecendo, desde Março de 1950, com os *Constellation* da BOAC. Por mais de uma década, Santa Maria seria 'o maior porta-aviões do Atlântico', utilizado por *Douglas* DC-4, DC-6, *Constellation* e *Stratocruiser*. O local das pernoitas dos passageiros e tripulações em Santa Maria foi descrito como 'um edifício pré-fabricado, de piso térreo, que incluía um *lounge*, bar e sala de jantar com longos corredores que levavam a pequenos quartos de ambos os lados'. Entre outros, passaram pela ilha os seguintes passageiros famosos: Bing Crosby, Bob Hope, Charlton Heston, Vivien Leigh, Frank Sinatra e Arturo Toscanini. Outras companhias a escalar os Açores foram a Pan Am, TWA, Canadian Pacific Air, Aerovias México, Swissair, Ibéria, Air France, Lufthansa e KLM. O eterno mistério do Triângulo das Bermudas está ligado à história da aviação dos Açores, na medida em que três das aeronaves que

Lajes 1955 (USAF)

45

A KB-50 overflies an ox-drawn cart on approach to Lajes Field (USAF)

steadily rising passenger numbers. The first passenger jet to land there was a Pan Am Boeing 707 in September 1958, followed in due course by DH Comets and Douglas DC-8s.

MILITARY MATTERS

Over the last half century Base Aérea Portuguesa No4 (BA 4) at Lajes on the island of Terceira has continued to be an important refuelling base for the USAF. In the 1950s Boeing B-29s and Convair B-36s on long range training flights were re-fuelled by Boeing KB-29 and Boeing KB-50 tankers. In later years Boeing KC-97s and then Boeing KC-135s undertook the tanking role. US Navy Lockheed P-3 Orions patrolled the waters around the Azores from the 1960s onwards. Visiting transport aircraft included Douglas C-118A Liftmasters, C-124 Globemaster IIs and C-133s.

Portuguese aircraft based at Lajes included Sikorsky H-19 helicopters and Grumman SA-16A Albatross amphibians. Portugal became a member of the North Atlantic Treaty Organisation (NATO) in 1949 and of the United Nations (UN) in 1955.

desapareceram sem deixar rasto voavam com destino ao arquipélago: um *Lockheed Super-Constellation* R7V-1 da Marinha Norte-Americana (em Outubro de 1954), um *Lockheed* C-133 *Cargomaster* da Força Aérea Norte-Americana (em Maio de 1962) e outro C-133 (em Setembro de 1963). Num apontamento mais agradável, a TAP iniciou no final de 1962, voos de Lisboa para Santa Maria (com escala em Porto Santo, no arquipélago da Madeira) utilizando os seus Caravelle e, esporadicamente, o Lockheed Super-Constellation. Durante as décadas de 50 e 60 as condições foram propícias a um contínuo crescimento do número de passageiros a utilizar o aeroporto de Santa Maria. O primeiro jacto de passageiros a aterrar no aeroporto foi um *Boeing* 707 da Pan Am, em Setembro de 1958, logo seguido pelos DH *Comet* e *Douglas* DC-8.

A COMPONENTE MILITAR

No último meio século, a Base Aérea Portuguesa No4 (BA 4), nas Lajes, na Ilha Terceira, tem sido um importante ponto de reabastecimento para a Força Aérea Norte-Americana (USAF). Nos anos 50, as aeronaves *Boeing* B-29 e *Convair* B-36 eram reabastecidas por aviões tanque *Boeing* KB-29 e *Boeing* KB-50, ao efectuarem as suas missões de treino a longa distância. Nos últimos anos a missão de reabastecimento passou a ser efectuada por aeronaves *Boeing* KC-97 e *Boeing* KC-135. Desde os anos 60 que aeronaves *Lockheed* P-3 *Orion* da Marinha Norte-Americana patrulham as águas do Atlântico. Entre outros, passaram pelas Lajes os seguintes aviões de

Top: *" Chuck Day and C-124" at Lajes in 1955 (USAF)*

Right: *Thunderbirds Super Sabres display at Lajes (USAF)*

Below: *A Portuguese Air Force Sikorsky H-19 in 1954 (Portuguese Air Force)*

Bottom: *Lajes AFB (USAF)*

Top left: *Portuguese Air Force Puma (Portuguese Air Force)*

Top right: *Portuguese Air Force C-212 Aviocar (Portuguese Air Force)*

Middle: *Portuguese Air Force Merlin at Lajes (via M Martins)*

Bottom: *A busy Lajes flightline (USAF)*

During the Yom Kippur war in October to November 1973, 312 Lockheed C-5 Galaxys and 845 C-141 Starlifters transited the airfield in a round-the-clock operation. In the 1980s many highly classified Silk Purse missions were flown using Boeing EC-135s. Aircraft from Lajes have also fulfilled a very useful Search and Rescue role and also supported the Gemini and Apollo space missions. Invaluable assistance was given to the local community following the devastating earthquake of January 1, 1980. Lajes retains to this day an important support role for US Forces in respect of a significant number of missions that require crossing the Atlantic. Portuguese Air Force assets currently based there are two flights of Casa 212 Aviocars and AgustaWestland EH-101 Merlins, which replaced the long-serving Aerospatiale SA-330S Pumas in November 2006.

THE FURTHER DEVELOPMENT OF CIVIL AVIATION

SATA's DH Doves CS-TAB and CS-TAC were used from 1948 until 1971 and were sold in the UK in 1972. A pair of Douglas

transporte: *Douglas* C-118A *Liftmaster*, C-124 *Globemaster* II e C-133.

Também baseadas nas Lajes estiveram as aeronaves Portuguesas *Sikorsky* H-19 e os anfíbios *Grumman* SA-16A *Albatross*. Portugal aderiu à NATO em 1949 e à ONU em 1955.

Nos meses de Outubro e Novembro de 1973, no decurso da Guerra de *Yom Kippur*, passaram pelas Lajes 312 *Lockheed* C-5 *Galaxy* e 845 C-141 *Starlifter*, numa operação que decorreu 24 sobre 24 horas. Nos anos 80 registaram-se várias movimentações de *Boeing* EC-135, integrados na operação secreta *Silk Purse*. As aeronaves baseadas nas Lajes desempenharam desde sempre um importante papel nas missões de busca e salvamento, apoiando também as missões espaciais Gemini e Apollo. Na sequência do grave sismo verificado nos Açores, no dia 1 de Janeiro de 1980, com especial incidência na Ilha Terceira, a Base prestou à população uma importante ajuda e assistência humanitária. A Base das Lajes mantém, nos dias de hoje, um papel importante no apoio às Forças Armadas Norte-Americanas

CS-TAD, the first DC-3 Dakota to join SATA's fleet in March 1965 (SATA)

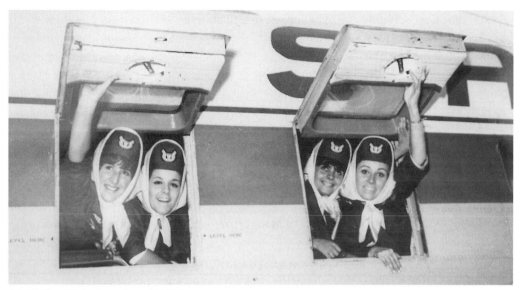

SATA's first Flight Attendents (SATA)

C-47/DC-3s CS-TAD and CS-TAE (both of which were ex-Aer Lingus) began commercial services in 1964 and 1965 respectively. The rugged and dependable DC-3 served SATA just as faithfully as it has hundreds of other operators worldwide, it did however need careful handling in crosswinds and required the carriage of bags of sand when making transit flights to correct centre of gravity problems. The beaten earth runways

devido ao número significativo de missões que requerem a travessia do Atlântico. A Força Aérea Portuguesa tem actualmente *Aviocars* Casa 212 e *Agusta Westland* EH-101 *Merlin* baseados nas Lajes. Estes últimos substituíram, em Novembro de 2006, os históricos *Puma* SA-330S.

O DESENVOLVIMENTO DA AVIAÇÃO CIVIL

Os *Dove* da SATA (CS-TAB e CS-TAC)

TAP Boeing 727 at Ponta Delgada in 1972 (ANA)

at Santana also provided a challenge, especially in wet weather. A plan was drawn up to provide a hard surface and lighting but in 1963, after studying the needs of the Azores as a whole, it was decided to create an entirely new airport. By 1966 SATA had carried a total of 33,000 passengers. With the Dakotas came an innovation for the airline in the shape of its first air stewardesses in 1968.

TAP Air Portugal was continuing its service to the Azores, introducing the Boeing 727-100 in 1967. Towards the end of the decade TAP Boeing 707s were used on transatlantic services, some of which made a stop at Santa Maria.

The airport at Nordela (now João Paulo II) on São Miguel replaced Santana in 1969 and became SATA's operational base. The first aircraft to land at the new airfield was a

Nordela under construction in the late 1960s (ANA)

estiveram ao serviço desde 1948 até 1971, tendo sido vendidos para o Reino Unido em 1972. Em 1964 e 1965 entraram ao serviço dois *Douglas* C-47/DC-3, respectivamente CS-TAD e CS-TAE, ambos provenientes da Aer Lingus. Os robustos e fiáveis DC-3, mais conhecidos por Dakota, operaram dedicadamente na SATA, tal como o fizeram em centenas de operadores de todo o mundo. Necessitavam, no entanto, de algum cuidado na operação com ventos cruzados, sendo também necessária a colocação de sacos de areia para correcção do centro de gravidade em determinados voos. A própria pista de Santana, não pavimentada, também oferecia algum desafio especialmente com tempo chuvoso. Foi elaborado um projecto para a sua iluminação e reformulação, mas, em 1963, no âmbito de um levantamento sobre as necessidades aeroportuárias dos Açores, foi decidido construir um novo aeroporto na Ilha de São Miguel. No ano de 1966 a SATA transportou mais de 33.000 passageiros nos seus aviões. Os *Dakota* permitiram à SATA apresentar uma novidade no seu serviço a bordo com a introdução da sua primeira assistente de bordo em 1968.

A TAP desenvolvia o seu serviço para os Açores, introduzindo os seus novos Boeing 727-100 em 1967. Até ao final da década seriam inaugurados serviços transatlânticos em Boeing 707, alguns dos quais escalando Santa Maria.

O aeroporto de Nordela (actualmente João Paulo II) na Ilha de São Miguel, substituiu o aeródromo de Santana em 1969, tornando-se a base operacional da SATA. A primeira aeronave a aterrar no

Above: *A SATA HS 748 in 1974 in the maintenance facility at Nordela (SATA)*

Below: *SATA HS 748 on Santa Maria (via P Pereira)*

SATA DC-3, the first jet was a TAP Boeing 727-100 on a proving flight on August 19, 1969. From the mid-1980s it would assume from Santa Maria the role of main gateway to the islands.

By the late 1960s SATA was looking for a more modern type. On February 8, 1969 an Avro/Hawker Siddeley 748, G-AVRR, making demonstration flights, was the first commercial aircraft to land on Flores. A Fokker F.27 Friendship, PH-FMA, also was trialled. This was followed by a longer lease of the HS 748s, G-ATMI and G-ATMJ, pending the delivery of CS-TAF

novo aeroporto foi um Dakota da SATA, tendo o primeiro jacto aterrado a 19 de Agosto de 1969 (um Boeing 727-100 da TAP em voo de ensaio). Nos anos que se seguiram, este aeroporto iria retirar algum protagonismo ao de Santa Maria, acabando por se tornar na principal porta de entrada do arquipélago.

No final da década de 60, a SATA procurava um novo modelo de aeronave. Em 8 de Fevereiro de 1969, um Avro/Hawker Siddeley 748 (G-AVRR) foi a primeira aeronave comercial a aterrar nas Flores, efectuando um voo de demonstração para a SATA. Foi igualmente testado, nesse ano, um Fokker F-27 Friendship (PH-FMA). Seguiu-se a opção pelo HS-748, tendo sido alugadas duas dessas aeronaves (G-ATMI e G-ATMJ) enquanto se aguardava a entrega dos exemplares encomendados, o que aconteceria em 1970 (CS-TAF e CS-TAG) e em 1973 (CS-TAH). Seriam ainda adquiridas mais quatro unidades: CS-TAO em 1980, CS-TAP e CS-TAQ em 1987, e CS-TAR em 1989. Em permanência, e durante este período, operaram sempre três

SATA DC-6 CS-TAK at Santa Maria Airport (via P Pereira)

and CS-TAG in 1970 and CS-TAH in 1973. Further HS 748s were purchased, CS-TAO in 1980, CS-TAP and CS-TAQ in 1987 and finally, CS-TAR in 1989. At any one time there were normally three of the trusty and well-loved Avros in the fleet, which made a total of 106,910 landings at Azorean airports in an unblemished career of nearly 30 years.

TAP Air Portugal began to use Nordela instead of Santa Maria for services to Lisbon in 1971, using Boeing 727-100s and also established a service to Lajes on Terceira in the same year with a Boeing 707 onward bound for Boston. With the ever increasing range and reliability of civil airliners the great days of Santa Maria inevitably came to an end but as late as 1972 Cubana Il-62s were introduced on the route Havana - Santa Maria – Madrid. Transit passengers using Santa Maria as a stopover peaked in the 1970s, with a high of nearly 300,000 in 1977, numbers declined

daqueles admiráveis aviões, perfazendo no total 106.910 aterragens nos aeroportos açorianos, numa impressionante carreira de cerca de 30 anos.

Em 1971 a TAP passou a operar os seus voos para Lisboa desde Nordela, em vez de Santa Maria, com Boeing 727-100, inaugurando no mesmo ano voos de Lisboa para a Lajes (na Ilha Terceira) em Boeing 707, voos que prosseguiam depois para Boston. Com o aumento da fiabilidade e da autonomia das aeronaves, o período áureo de Santa Maria caminhava para o seu final, embora já em 1972, a companhia Cubana de Aviación tenha iniciado uma rota Havana-Santa Maria-Madrid em IL-62. O número de passageiros em Santa Maria atingiu um máximo de cerca de 300.000 no ano de 1977, tendo os números entrado em declínio desde aí, levando mesmo ao encerramento das pistas secundárias.

Em 1975 a SATA retirou de serviço o último dos seus DC-3. No entanto,

Top: *SATA HS748 CS-TAG at Horta July 1971 (via Carlos da Silveira)*

Left: *Passengers disembarking from the DGCA DC-3 April 1971 at Castelo Branco, Horta (via Carlos da Silveira)*

Bottom: *The inauguration of the airport on Faial August 24, 1971 (ANA)*

markedly in the decade thereafter and the secondary runways were closed.

By 1975 SATA had withdrawn its DC-3s. The Douglas connection was not yet over as the company also operated several ex-Portuguese Air Force Douglas DC-6s CS-TAJ, CS-TAK, CS-TAL, CS-TAM, CS-TAN during the period 1976-1979, one or two of these being in service at any one time. During a TAP strike in April 1979 the DC-6, CS-TAK, was used on the service to Lisbon.

From the 1970s onwards great strides were made in bringing air transport to the rest of the Azorean islands. In 1971 an airport was established at Castelo Branco on Horta. The first aircraft to land was the DC-3 CS-DGA of the DGCA on April 1, 1971, this was followed by the SATA DC-3, CS-TAD, on a proving flight on May 9, the SATA HS 748 CS-TAG on July 27, the TAP Boeing 727-100 CS-TBL bringing the Head of State, Admiral Américo Thomaz, for the official Opening Ceremony on August 24 (which was also attended by three DC-3s, a DC-6 and a 748) and the start of regular

nos anos seguintes (período 1976-1979) iria ainda utilizar de novo aeronaves da *Douglas*, ao operar algumas unidades DC-6 provenientes da Força Aérea Portuguesa (CS-TAJ, CS-TAK, CS-TAL, CS-TAM, CS-TAN), tendo em cada momento uma ou duas destas aeronaves ao seu serviço. Em Abril de 1979, e para escoar os passageiros retidos por uma greve da TAP, a SATA utilizou o DC-6 (CS-TAK) para efectuar algumas ligações a Lisboa.

A partir dos anos 70, foram dados largos passos no sentido de estender o serviço de transporte aéreo às restantes ilhas açorianas. Em 1971 entrou ao serviço o aeroporto da Horta, na localidade de Castelo Branco. A primeira aeronave a utilizá-lo foi um DC-3 da D.G.A.C. (CS-DGA), em 1 de Abril de 1971, seguindo-se um DC-3 da SATA (CS-TAD), em 9 de Maio do mesmo ano, efectuando um voo de ensaio. Passadas poucas semanas, a 27 de Julho, foi a vez de um HS-748 da SATA, matrícula CS-TAG. A 24 de Agosto, na cerimónia oficial de inauguração do aeroporto, aterrou o Boeing 727-100 da TAP, matrícula CS-TBL, transportando o

Flores Airport with Corvo in the background (Author's Collection)

55

The first aircraft to land at Corvo airport September 25, 1983 (Oscar Nunes)

SATA scheduled services on January 14, 1972. By the end of that year the airport had handled 648 movements and 16,000 passengers.

This was followed by the first SATA passenger flight from Flores on April 27, 1972. This had been preceeded by a Portuguese Air Force C-47 which brought a medical emergency team on October 15, 1968, landing on the 600 metres of runway that had been completed, another had flown over from Horta on July 19, 1971, while French Air Force Transall C-160 transport aircraft had also flown support missions - the setting up of a French satellite tracking station had been instrumental in bringing about the construction of an airfield.

Airports were built on the remaining islands - Graciosa in 1981, Pico in 1982 and finally São Jorge and Corvo in 1983. The first fixed-wing type to land on Corvo was a Portuguese Air Force Casa 212 on

Presidente da República Almirante Américo Thomaz. No mesmo dia estiveram ainda na placa aeronaves DC-3, DC-6 e HS-748. A 14 de Janeiro de 1972 iniciavam-se os voos regulares da SATA para a Horta, movimentando o aeroporto nesse ano 16.000 passageiros, num total de 648 movimentos de aeronaves.

Pouco tempo depois, em 27 de Abril de 1972, a SATA efectuava o primeiro voo com passageiros para as Flores, embora o aeroporto já viesse a ser utilizado, desde que em 15 de Outubro de 1968, um C-47 da Força Aérea Portuguesa aterrou nos exíguos 600 metros de pista disponíveis para acorrer a uma emergência médica. A instalação na ilha das Flores de uma estação de rastreio de satélites francesa foi um dos factores que acelerou a construção do aeroporto, verificando-se por essa razão vários voos de apoio de aeronaves de transporte *Transall* C-160 da sua Força Aérea.

September 25, in advance of the official opening three days later. To begin with services to Corvo were flown under contract by Casa 212s, supplemented now and again by Puma helicopters, a pair of which had first visited Corvo on June 19, 1979.

As SATA developed its network of inter-island services, so the total passenger numbers climbed. By 1977 one million passengers in total was passed, by 1983 this was doubled and had risen to three million altogether by 1988. In 1977 SATA's private stock had been purchased by the Government and by TAP. In 1980 SATA became a wholly state-owned company.

TAP continued to fly to Ponta Delgada and Terceira, introducing a connection from Lisbon to Horta on July 4, 1985 with a Boeing 737-200, CS-TEK.

1985 saw the start of operations by SATA Group tour companies Azores Express to the USA and Atlântida Express to Canada

Apenas na década de 80 foram construídos aeródromos nas ilhas que os não tinham: Graciosa (1981), Pico (1982) e finalmente São Jorge e Corvo (1983). A primeira aeronave de asa fixa a aterrar no Corvo foi um Casa 212 da Força Aérea Portuguesa no dia 25 de Setembro de 1983, antes da inauguração oficial que ocorreria três dias depois. Os serviços para o Corvo iniciaram-se através de um contrato para a operação de aeronaves Casa 212 efectuada pela Força Aérea Portuguesa, sendo também esporadicamente utilizados helicópteros Puma. O primeiro Puma a visitar o Corvo fê-lo em 19 de Junho de 1979.

À medida que a SATA desenvolvia a sua rede inter-ilhas, o número de passageiros transportados aumentava de ano para ano. Em 1977 a SATA atingia a barreira do milhão de passageiros acumulados, em 1983 atingia os dois milhões e em 1988 os três milhões. Em 1977 a participação privada da SATA foi adquirida pela TAP e pelo Governo Regional

SATA ATP CS-TGL taking off from Flores (Stephan Weidenhiller)

ATP CS-TGL at Sao Jorge in July 2007 (G Warner)

(which later became SATA Express). Many thousands of Azoreans had emigrated to Canada and the USA from the time of the early Yankee whalers through the 19th and 20th centuries (in 1919 the population of the Azores was 300,000, while 100,000 people of Azorean descent were living in the USA) so there was a potential market to be tapped. A further boost to the Azorean economy came in 1986 when Portugal became a member of the European Community, now the European Union (EU).

A jet aircraft was tried on the inter-island routes for two months in 1987, the BAe 146-100 G-BRJS. It was well thought of by the aircrews but it was decided that a turboprop type would be best to replace the HS 748s, as this was more suited to the inter-island routes, given that SATA had not been permitted to compete with TAP on services to Lisbon. From 1989 onwards therefore the BAe ATP was introduced: CS-TGL, CS-TGM, CS-TGN, CS-TGB (for five months in the summer of 1993, following the collapse of the Portuguese regional airline, LAR), CS-TGX, CS-TGY and CS-TFJ making up the fleet. The ATP has

dos Açores, e em 1980 tornar-se-ia uma empresa de capitais totalmente estatais.

Em 4 de Julho de 1985 a TAP passou a servir regularmente a Horta, mantendo também as ligações a Ponta Delgada e Terceira. O primeiro voo foi efectuado pelo Boeing 737-200 de matrícula CS-TEK.

Nesse mesmo ano iniciaram-se as operações SATA para o Canadá e Estados Unidos, através dos operadores Atlântida Express (mais tarde SATA Express) e Azores Express, respectivamente. Os milhares de açorianos que viviam naqueles países (a vaga de emigração iniciou-se ainda no século XIX, atingindo em 1919 já cerca de 100.000 luso-descendentes a residir nos Estados Unidos, contra uma população de cerca de 300.000 pessoas no arquipélago), constituíam um importante mercado a ser servido. Em 1986 os Açores, bem como todo o país, acabou por beneficiar da conjuntura económica criada pela adesão de Portugal à Comunidade Económica Europeia (CEE), actualmente União Europeia (UE).

Em 1987, e durante dois meses, efectuaram-se testes com uma aeronave a jacto BAe 146-100 (matrícula G-BRJS) nas rotas inter-ilhas, tendo em vista a realização de voos para Lisboa, à data um exclusivo da companhia nacional de bandeira, a TAP. Embora o parecer operacional das tripulações tenha sido positivo para o tipo de voos que se propunham, não foi permitido à SATA efectuar esses voos, pelo que, face aos insuportáveis custos operacionais para os voos inter-ilhas, achou-se mais adequada a opção por um modelo turbo-propulsor para substituir os HS-748. Começaram assim em 1989 a chegar as aeronaves ATP, igualmente

Above: *SATA Dornier CS-TGO on Corvo (Stephan Weidenhiller)*

Below: *OceanAir Islander CS-AQP (B-N Historians)*

served SATA well being stable in the high winds and windshear often encountered in winter. The capacious hold is another plus factor. Tragically, CS-TGM crashed on the Pico da Esperança mountain on São Jorge on December 11, 1999 while flying from Ponta Delgada to Horta, with the loss of all those on board.

In 1990 SATA joined the European Regional Airlines Association (ERA) and the International Air Transport Association (IATA). Then in 1992 a service to the smallest island, Corvo, was phased in, using the Dornier 228 CS-

fabricadas pela British Aerospace (BAe). Foram recebidas três unidades de fábrica (CS-TGL, CS-TGM, CS-TGN), tendo também no Verão de 1993 sido alugada uma quarta unidade (CS-TGB), por cinco meses, aeronave até então em operação na companhia regional portuguesa LAR (Linhas Aéreas Regionais), entretanto extinta. Mais recentemente seriam ainda recebidas as aeronaves ATP de matrículas CS-TGX, CS-TGY e CS-TFJ. Este modelo de aeronave tem provado as suas qualidades ao serviço da SATA, sendo bastante estável nas condições de vento e de *wind-shear* frequentemente verificadas no Inverno açoriano. Para além disso a sua grande capacidade de carga é também de bastante utilidade para a SATA. Em 11 de Dezembro de 1999, o ATP CS-TGM embateu no Pico da Esperança (Ilha de São Jorge), no decurso de um voo de Ponta Delgada para a Horta, quando efectuava a aproximação ao aeroporto da Horta, provocando a morte de todos os ocupantes.

Em 1990 a SATA tornou-se membro da ERA (European Regional Airlines Association) e da IATA (International Air

SATA 737-300 CS-TGP (via P Pereira)

TGG on a series of route proving flights. The first scheduled service was flown on March 29, 1993, with the terminal being officially opened on July 20, 1993. In 1994, OceanAir, which had operated as an air-taxi service since 1991 with a pair of Britten-Norman Islanders CS-AJR and CS-AQP and later a DHC-6 Twin Otter CS-TFG, was purchased by SATA. Also in 1994, during the fiftieth anniversary year of the International Civil Aviation Organization (ICAO), SATA received a medal of honour given to an individual or company which, in the opinion of each member state (in this case Portugal), had contributed to the development of civil aviation.

The early 1990s brought something of an improvement to Santa Maria's fortunes for a few years as one of the effects of the first Gulf War was to encourage fuel economy which resulted in stopovers for types such as Britannia Airways Boeing 767s, Condor Boeing 757s and Martinair Holland DC-10s. Large cargo lifters also called, including the Shorts Belfast and the

Transport Association). Com um novo modelo de aeronave – o Dornier 228 de matrícula CS-TGG – iniciaram-se em 1992 uma série de voos de teste para a mais pequena ilha do arquipélago: a Ilha do Corvo. Os voos regulares iniciaram-se em 29 de Março de 1993, tendo o pequeno terminal do aeroporto sido inaugurado a 20 de Julho desse mesmo ano. Em 1994 a SATA adquiriu uma pequena companhia de nome OceanAir. Esta companhia operava voos de táxi-aéreo desde 1991, utilizando um par de aeronaves *Britten-Norman Islanders* (CS-AJR e CS-AQP) e posteriormente também um DHC-6 *Twin Otter* (CS-TFG). Também nesse ano, e no decurso das comemorações dos 50 anos da ICAO (International Civil Aviation Organization), a SATA recebeu uma medalha de honra como reconhecimento pela sua contribuição para o desenvolvimento da aviação civil em Portugal.

O início dos anos noventa trouxe algum movimento adicional a Santa Maria, na medida em que a Guerra do Golfo levou a um incremento das medidas com vista

mighty Antonov An-124. It was also one of the waypoints for a Round the World Air Race for light aircraft in 1994.

OceanAir's Airline Operator's Certificate (AOC) was used for the start of international holiday charter flights from the Azores in 1995 using a Boeing 737-300, CS-TGP, the first of three of these. OceanAir changed its name to SATA International (S4) in 1998, starting operations on April 9. From January 1, 1999, SATA was given the public concession of flights from Ponta Delgada to Lisbon, Porto and Funchal through its subsidiary SATA International.

A310 landing on Runway 15 at Lajes in blustery conditions (USAF)

à poupança de combustível, o que levou a que aeronaves como os Boeing 767 (da Britannia), os Boeing 757 (da Condor) e os DC-10 (da Martinair), utilizadas nos voos intercontinentais, passassem a escalar Santa Maria. Também os grandes cargueiros como o *Shorts Belfast* e o *Antonov* An-124 por lá passaram. Foi ainda, em 1994, ponto de escala de uma volta ao mundo para aviões ligeiros.

O Certificado de Operador Aéreo (COA) da OceanAir seria utilizado posteriormente para o lançamento, em 1995, de uma operação *charter* a partir dos Açores, utilizando-se para o efeito uma aeronave Boeing 737-300 (CS-TGP), modelo do qual viriam a ser utilizadas três unidades. A OceanAir acabaria por mudar de nome em 1998 para SATA Internacional (código IATA S4), efectuando-se o primeiro voo da nova companhia a 9 de Abril desse ano. Finalmente, a partir de 1 de Janeiro de 1999, na sequência do concurso público para o transporte regular de passageiros entre a Região e o Continente, a SATA, através da sua subsidiária SATA Internacional, ficaria

SATA A310 CS-TGU in the old colour scheme (Stephan Weidenhiller)

(via Paulo Pereira)

A Pan Am Boeing 707 at Santa Maria in the 1960s (ANA)

French Air Force Transall landing on Flores (via Carlos da Silveira)

TAP kept the concession for the links Lisbon-Terceira and Lisbon-Horta. Two more Boeing 737-300s CS-TGQ and CS-TGR, joined the fleet in 1998 and 1999, followed by Boeing 737-400s CS-TGW and CS-TGZ in 2001 and 2002. The first widebody type was introduced in 1999, the Airbus A310-300, CS-TGU. The Boeings were replaced by A320-200s in 2004-2005. A further development by TAP Air Portugal in April 2005 was the introduction of a connection from Lisbon to Pico by

encarregue de assegurar as ligações entre Ponta Delgada e Lisboa, Porto e Funchal (a TAP manteve as ligações Lisboa-Terceira e Lisboa-Horta). Em 1998 e 1999 foram adicionadas as outras duas unidades 737-300 (CS-TGQ e CS-TGR), seguindo-se mais duas unidades do mesmo tipo mas da versão '-400' (CS-TGW e CS-TGZ) em 2001 e 2002. A primeira aeronave *widebody* foi introduzida em 1999 – o Airbus A310-300, CS-TGU. Os Boeing seriam substituídos por aeronaves Airbus A320-200 em 2004-2005. Em 2005 iniciaram-se pela primeira vez voos de Lisboa para o Pico (via Terceira) operados em Airbus A319 da TAP, ao mesmo tempo que se retomavam, ao fim de três décadas de interrupção, as ligações directas entre Lisboa e Santa Maria, desta vez operadas pela SATA em A320.

Above: *SATA A310 CS-TGV on approach over Ponta Delgada (Stephan Weidenhiller)*

Right: *SATA A310 CS-TKI (SATA)*

Airbus A319 via Terceira and at the same time came the re-opening of direct flights between Santa Maria and Lisbon, after a gap of three decades, this time operated by SATA's A320.

SATA Today

Today SATA Internacional covers scheduled, charter, international, domestic, passenger and cargo services. The domestic scheduled destinations are Lisbon, Porto, Funchal, Ponta Delgada, Terceira, Horta and Santa Maria, while internationally scheduled destinations have included Frankfurt (since 2000), Munich (2004-05), Zurich (2004-06), Madrid (2004-05), Paris (out of Funchal since 2007), Boston, Providence, Oakland, Montreal and Toronto. London Gatwick and Amsterdam were added to this list in 2005 and 2006 respectively. In May 2007 a weekly A320 service from Ponta Delgada to Dublin was

O Grupo SATA

A SATA Internacional opera actualmente voos regulares, não-regulares, internacionais, domésticos, de passageiros e de carga. A rede doméstica inclui Lisboa, Porto, Funchal, Ponta Delgada, Terceira, Horta e Santa Maria. Os destinos internacionais operados nos últimos anos incluíram Frankfurt (desde 2000), Munich (2004-05), Zurich (2004-06), Madrid (2004-05), Paris (à partida do Funchal, desde 2007), Boston, Providence, Oakland, Montreal e Toronto. Em 2005 e 2006 a SATA passou também a voar para Londres (Gatwick) e Amsterdão, respectivamente, enquanto que em Maio de 2007 foi inaugurada uma ligação semanal entre Ponta Delgada e Dublin. Os destinos não-regulares (*charters*), incluem aeroportos em Portugal, Europa, Brasil, República Dominicana e Cuba, sendo este tipo de operação responsável por cerca de um terço da operação da SATA. A frota actual da

A SATA ATP at Flores (Stephan Weidenhiller)

Top: *An aerial view of Horta airport (Stephan Weidenhiller)*

Left: *The first helicopters to land on Corvo were a pair of Portuguese Air Force Pumas on June 19, 1979 (Oscar Nunes)*

Right: *Control towers old and new at Santa Maria (ANA)*

The airport terminal on Corvo (Stephan Weidenhiller)

The control tower at Flores (Stephan Weidenhiller)   *Arrival at Flores (ANA)*

A panoramic view of the terminal at Ponte Delgada (ANA)

launched. Charter destinations include Portuguese and European airports, as well as Brazil, the Dominican Republic and Cuba. Charter flights make up about one third of the company's business currently. At the present time the SATA International fleet consists of four A310-300 (CS-TGU, CS-TGV, CS-TKM and CS-TKN) configured for 222 passengers and three 165 passenger A320-200s (CS-TKJ, CS-TKK and CS-TKL). The most recent figures show that SATA International made more than 6000 external flights from the islands and carried a yearly total of almost one million passengers.

SATA Air Azores (SP) currently operates six turboprop aircraft, five BAe ATPs (CS-TFJ, CS-TGL, CS-TGN, CS-TGX, CS-TGY) which have a capacity for 64 passengers and one Dornier 228 (CS-TGO) which is an 18 seater. The ATPs fly from Ponta Degada (PDL) on São Miguel to Santa Maria (SMA), Terceira (TER), Faial

SATA Internacional inclui quatro Airbus A310-300 (CS-TGU, CS-TGV, CS-TKM e CS-TKN), numa configuração de 222 lugares, e três Airbus A320-200 (CS-TKJ, CS-TKK e CS-TKL), numa configuração de 165 lugares. A SATA Internacional efectua anualmente mais de 6.000 voos, transportando cerca de 1 milhão de passageiros, de acordo com os últimos dados disponíveis.

A SATA Air Açores (código IATA SP), empresa que se dedica ao transporte aéreo regular inter-ilhas, opera actualmente uma frota composta por seis aeronaves turbo-propulsoras: cinco BAe ATP (CS-TGL, CS-TGN, CS-TGX, CS-TGY e CS-TFJ), com capacidade para 64 passageiros, e um *Dornier* 228 (CS-TGO) com 18 lugares. Os ATPs ligam Ponta Delgada (PDL), na ilha de São Miguel, a Santa Maria (SMA), Terceira (TER), Horta (HOR), Pico (PIX) e São Jorge (SJZ), ligam também as Lajes, na Terceira, à Horta, Graciosa (GRW),

The Dornier departs Corvo for Horta (G Warner)

(HOR), Pico (PIX) and São Jorge (SJZ), from Lajes on Terceira to Faial, Graciosa (GRW), Pico, São Jorge and Flores (FLW) and from Horta on Faial to Flores - all on PSO (Public Service Obligation) terms – so linking the islands to each other and also to connecting flights to the outside world. One ATP is dedicated to the public service shuttle Funchal-Porto Santo-Funchal (in Madeira), where SATA started operations in January 1, 2007, after a contract was made with the Portuguese Government to operate the route for three years. Three daily flights are made in each direction, with a new route to the Canary Islands under study. The Dornier links Corvo (CVU) to Terceira, Horta and Flores. The longest runways are at Lajes AFB (Air Base #4) and on Santa Maria, these are both over 9800 feet (3000 metres) in length and can therefore handle the largest aircraft. João Paulo II Airport on Ponta Delgada at 7900 feet (2400 metres) can cater for

Pico, São Jorge e Flores (FLW), e ligam a Horta, no Faial, às Flores. Um dos ATP está neste momento dedicado à rota de serviço público Funchal-Porto Santo-Funchal, no arquipélago da Madeira. Esta operação iniciou-se a 1 de Janeiro de 2007, tendo posteriormente sido assinado um contrato com o Governo para a sua operação nos próximos três anos. São efectuadas três rotações diárias em cada sentido, estando em estudo uma possível operação para as Canárias. O *Dornier* liga a ilha do Corvo (CVU) à Terceira, Horta e Flores. Com estas aeronaves a SATA efectua numa base diária uma vasta gama de ligações entre todas as ilhas, permitindo também a ligação aos voos da Região para o exterior, sendo toda a operação efectuada numa lógica de serviço público. As pistas com maior extensão no arquipélago encontram-se na Ilha Terceira (Base Aérea Nº4, nas Lajes) e em Santa Maria, tendo ambas mais de 3.000 metros de comprimento,

wide-bodied passenger jets. Next, at 5300-5700 feet (1640-1745 metres), are Horta and Pico which can take 737s and A320s. Flores, Graciosa and São Jorge at 4200-4600 feet (1300-1400 metres) are best suited to turboprops, while Corvo has the shortest being 2598 feet (792 metres) in length and is currently the preserve of the Dornier, which has been in operation since 1993; the largest aircraft to have landed there being a Dash 8-300 in October 2006 and an ATR 72-500 in September 2007. An estimated 8000-8500 passengers fly to and from Corvo annually, on the three days per week when the airport is in operation. It is the gateway to the world for the island and its 425 inhabitants. From a geological standpoint Corvo is the starting point of the only known scheduled intercontinental flight operated by a Dornier 228.

About 11,000 flights are made annually around the islands by SATA, carrying upwards of 450,000 passengers, 1594 metric tonnes of cargo and 650 metric tonnes of mail. This gives a group total in excess of 1 million passengers. The newest member of the SATA Group is SATA Airport Management which was founded in 2005 and runs the airports on Pico, Graciosa, Corvo and São Jorge. A new terminal at São Jorge was opened on May 5, 2007. Moreover, it had already been decided by the sole shareholder, the Government of the Azores, to create SATA Handling.

For the future it is important that the company continues to advance on several levels. No one airline model is suitable for adoption by the SATA Group as it is unique in that it operates a comparatively small

e sendo adequadas a qualquer tipo de aeronave. A pista do Aeroporto João Paulo II, em Ponta Delgada, tem 2.400 metros de comprimento podendo também receber aeronaves de grandes dimensões. As pistas da Horta e do Pico são mais pequenas, com um comprimento entre os 1.600 e os 1.750 metros, sendo adequadas para aeronaves A320 e B737. Nas Flores, Graciosa e em São Jorge, a dimensão das pistas – com cerca de 1.300-1.400 metros – destina-se à operação de aeronaves turbo-propulsoras. A Ilha do Corvo, com a sua pista de 792 metros, é adequada apenas ao *Dornier* que aí opera desde 1993, tendo no entanto, em Outubro de 2006, recebido a visita de uma aeronave de maior dimensão – um *Bombardier Dash 8-300* em voo de demonstração para a SATA. Também a Aerospatiale com o seu ATR72-500 efectuou uma demonstração no Corvo em Setembro de 2007. Esta pequena ilha tem no seu aeroporto a ligação ao mundo para os seus 425 habitantes. Os três dias por semana em que opera, correspondem a um movimento de cerca de 8.000-8.500 passageiros anuais. Do ponto de vista geológico, esta operação ao Corvo será porventura a única operação regular intercontinental efectuada por um *Dornier*!

A SATA Air Açores efectua anualmente cerca de 11.000 voos inter-ilhas, transportando cerca de 450.000 passageiros, 1.594 toneladas de carga e 650 de correio. Juntando a operação da SATA Internacional, o Grupo transporta anualmente bem mais de 1 milhão de passageiros. A mais recente empresa do Grupo SATA é a SATA Gestão de Aeródromos, fundada em 2005, e que

*SATA A320 on the ramp at Ponta Delgada
(G Warner)*

fleet of 13 aircraft on a route network of sectors varying in length from ten minutes to more than ten hours. It has to develop its own solutions in a volatile market to remain economically viable. For example the seat cost of flying from Terceira to Corvo on the Dornier is higher than that of travelling to Lisbon from Ponta Delgada by A310. Another factor to consider is that half the traffic is carried in only four months of the year.

The inter-island services need to be maintained, not only as a public service but also to provide an efficient network of connections for tourists within in the context of an integrated network of air and surface transport. The carriage of goods by air within the islands is an economic and practical necessity, particularly for high-value, low-volume, perishable or urgent items. In times of severe weather conditions the islands of Flores and Corvo have to a certain extent relied on the ability of the aeroplane to provide essential supplies. They are now no longer isolated. The aircraft will not replace shipping but has been proven to be virtually indispensable. Airports are also important to communities

gere os aeródromos do Pico, Graciosa, Corvo e São Jorge. Nesta última ilha foi inaugurado um novo terminal em 5 de Maio de 2007. Foi também já decidido pelo único accionista, o Governo Regional dos Açores, a criação da SATA Handling, que se dedicará à assistência em escala de aeronaves.

Em termos futuros, é importante o desenvolvimento sustentado da SATA em vários níveis. Nenhum modelo teórico de companhia aérea representa a operação do Grupo SATA, uma vez que este possui uma frota relativamente pequena de 11 aeronaves, com as quais opera rotas que vão desde os 10 minutos de voo até às mais de 10 horas. Tem assim a SATA que desenvolver as suas próprias soluções, num mercado extremamente volátil, de forma a continuar economicamente viável. Como exemplo, o custo unitário (por lugar) num voo em *Dornier* entre a Terceira e o Corvo é superior ao de um voo Ponta Delgada-Lisboa em A310. Outro importante factor a considerar é a sazonalidade da operação, uma vez que metade do tráfego é transportado em apenas 4 meses do ano.

A operação inter-ilhas permite, para além da vertente do serviço público que proporciona, uma eficiente rede de ligações para os turistas que visitam o arquipélago, sendo essencial no contexto de uma rede integrada de ligações aéreas e terrestres. O transporte de bens por via aérea entre ilhas é uma necessidade económica e prática, nomeadamente para cargas de valor, pouco volume, perecíveis ou urgentes. Em época de mau tempo, e em particular nas ilhas das Flores e Corvo, existe uma

being economic growth generators and sources of employment.

The ATPs (and the Avro 748s before them) have given good service, being reliable, easy to maintain, good in crosswinds and adverse weather, as well as having a good hold freight capacity. The average sector length around the islands is 38 minutes, which really rules out a jet. A replacement is being sought and should be introduced soon. It is more than likely to be a turboprop from either Bombardier or ATR. It is anticipated that the type or sub-type chosen will be able to fly to and from Corvo, subject only to weight limitations.

Gradual, continued, sensible expansion of international connections is also being actively considered, not least because a profitable network of these dilutes the costs of running the inter-island links. It is believed that further expansion in Europe is possible, as well as greater penetration into the North American market and

SATA advertising poster 1991 (via Paulo Pereira)

grande dependência em relação à operação aérea, sem a qual o fornecimento de bens essenciais pode ficar em risco. Embora o transporte de mercadorias por via aérea não dispense a existência de ligações marítimas, tem provado ser essencial para combater o isolamento das populações residentes. Também os aeroportos, em pequenas comunidades como são algumas ilhas açorianas, constituem importantes indutores de crescimento económico oferecendo também algumas oportunidades de emprego.

Os ATP (e anteriormente os *Avro* 748) têm permitido um bom serviço, sendo frotas fiáveis, de fácil manutenção, adequados às más condições atmosféricas e aos ventos cruzados, e com razoável capacidade de carga. A duração média dos percursos inter-ilhas é de 38 minutos, insuficiente para justificar uma operação a jacto. Está já em estudo uma nova frota, a ser introduzida em breve, aguardando-se uma opção entre aeronaves da *Bombardier* ou da *Aerospatiale*. Qualquer que seja o tipo ou sub-tipo escolhido, deverá poder operar no Corvo, ainda que com limitações de peso.

Uma expansão gradual e continuada das ligações internacionais ao arquipélago é também esperada, permitindo diluir os custos da operação inter-ilhas. São possíveis novos destinos na Europa, bem como uma maior penetração no mercado Norte-Americano e também na América do Sul e Central. A SATA, assumindo-se como uma transportadora aérea Portuguesa e não apenas açoriana, poderá também no futuro constituir outros *hubs* fora do arquipélago.

possibly also Central and South America. SATA regards itself as a Portuguese airline not just as a carrier serving the Azores and may well fly from other hubs in future. It is small enough to be flexible and nimble in reacting quickly to opportunities.

The SATA Group has expanded greatly in recent years and now has more than 1000 employees. It still has a family feel about it however and has many strong family links within its ranks. It will be very interesting to see how it expands. The Azores are much less remote now than they were just a few years ago but it is very much to be hoped that an increased level of visitors will not spoil their great natural beauty and tranquillity.

A sua pequena dimensão permite-lhe uma grande flexibilidade e uma reacção rápida a novas oportunidades que entretanto surjam.

O Grupo SATA tem conseguido uma assinalável expansão nos últimos anos, tendo já ultrapassado os 1.000 funcionários. Apesar disso continua a existir um ambiente algo familiar, existindo mesmo bastantes ligações familiares entre colaboradores. Por força da expansão da SATA a situação dos Açores pode ser actualmente considerada bastante menos remota que há alguns anos, esperando-se no entanto que o continuado desenvolvimento do turismo não venha a pôr em perigo a beleza natural e a tranquilidade destas ilhas.

Seen here at Lisbon, SATA A320 CS-TKK (Stephan Weidenhiller)

ANA Aeroportos de Portugal SA - Yesterday, Today and Tomorrow

The airports at Ponta Delgada, Horta, Santa Maria and Flores (as well as Lisbon, Porto and Faro on mainland Portugal) are managed by ANA-Aeroportos de Portugal SA. The four airports in the Azores handle in excess of 1.2 million passengers a year, as well as more than 10,000 tonnes of commercial freight and mail in the course of over 20,000 commercial aircraft movements. They include the busiest, Ponta Delgada. ANA has been managing these since its creation in 1978, when it replaced the General Directorate for Civil Aeronautics (DGCA). For the first 20 years, as ANA, EP (Aeroportos e Navegação Aérea (Airports and Air Navigation)) it was also responsible for air navigation

Ponte Delgada is one of four airports managed by ANA in the Azores (ANA)

ANA Aeroportos de Portugal S.A. – Ontem, Hoje e Amanhã

Os aeroportos de Ponta Delgada, Horta, Santa Maria e Flores (para além de Lisboa, Porto e Faro no Continente) são geridos pela ANA-Aeroportos de Portugal SA. Esses quatro aeroportos dos Açores movimentam mais de 1.2 milhões de passageiros anualmente, sendo Ponta Delgada o mais utilizado. Essa gestão aeroportuária foi feita pela ANA, EP desde o ano da sua criação, em 1978, substituindo nessas funções a Direcção Geral de Aviação Civil (DGAC). Nos primeiros 20 anos (de 1978 a 1998), como ANA, EP, a empresa foi também responsável pela navegação aérea, incluindo o controlo de tráfego aéreo. A prioridade inicial da ANA foi manter e desenvolver as infra-estruturas operacionais, tanto Aeroportuárias como de Navegação Aérea. Foi desde logo evidente que, devido à natureza do serviço público de transporte aéreo inter-ilhas, as taxas cobradas não reflectiam os reais custos da operação. Conforme referido, a ANA EP era também responsável pela navegação aérea, incluindo o serviço de informação de voo na FIR (*Flight Information Region*) baseada em Santa Maria. O facto deste serviço não ser cobrado às aeronaves militares, e numa altura em que vários conflitos fizeram esse tráfego disparar (ex. Guerra das Falklands, Líbano, Golfo), acarretou um acréscimo de custos para a empresa, sem a correspondente receita.

Embora fosse uma constante a melhoria das condições dos vários aeroportos geridos, a ampliação da pista e a construção de um

services, including air traffic control. The first priority then was to keep the existing infrastructure operational (both airport and navigation) and to carry out essential works. It was readily apparent that, owing to the public service nature of the islands' air services, the charges that ANA, EP was able to levy did not reflect the true operational costs. As well as the airports ANA, EP was in charge of the en-route flight information service of the Flight Information Region (FIR) based at Santa Maria. This brought its own financial burden as the information had to be given free of charge to exempt military overflights, which expanded enormously at times of international crisis, eg. the Falklands War, the Lebanon War and the Gulf Wars. While improvements

novo terminal funcional e esteticamente agradável em Ponta Delgada, constituiu talvez o projecto mais significativo realizado nos Açores, projecto que teve a comparticipação do Governo Regional. O terminal seria inaugurado no dia 11 de Maio de 1995, baptizando-se então o Aeroporto de Ponta Delgada como Aeroporto João Paulo II, numa homenagem ao Papa que quatro anos antes tinha visitado a região. Em paralelo decorria o Projecto Atlântico, visando a modernização da FIR de Santa Maria. Em Dezembro de 1998 a navegação aérea e o controlo de tráfego aéreo saíram da alçada da nova empresa ANA Aeroportos de Portugal, SA, que substituiu a ANA EP (o Decreto-Lei 404/98 entrou em vigor a 17 de Janeiro de 1999).

Entrance to Santa Maria airport (ANA)

at all the airports has been an on-going process, extending the runway and the creation of a new and aesthetically pleasing terminal building at Ponta Delgada were major projects, supported by the Regional Government. The terminal was inaugurated on May 11, 1995, at which time the airport was renamed João Paulo II, following the decision by the Portuguese Council of Ministers to honour Pope John Paul II, who had visited the island four years before. This was paralleled by the Atlantico Project upgrading the FIR facilities at Santa Maria. In December 1998, air navigation and ATC was de-merged and ANA Aeroportos de Portugal SA was formed (the Decree-Law 404-98 took effect at January 17, 1999).

The value of João Paulo II to the economy and development of the islands is immense. As the main point of entry and exit, its infrastructure and the services provided must be commensurate with the

TAP Portugal A320 at Horta (ANA)

O peso do Aeroporto João Paulo II na economia e no desenvolvimento da ilha é bastante grande. Sendo a principal porta de entrada e de saída de um arquipélago que se pretende assumir como destino turístico de alta qualidade, as suas infra-estruturas e os serviços que oferece deverão ser compatíveis com esse objectivo. Actualmente, tem uma capacidade para processar 1200 passageiros por hora, e 12 movimentos de aeronaves igualmente em cada hora. Possui 13 balcões de check-in, 6 portas de embarque e 10 posições de estacionamento de aeronaves, com capacidade até à dimensão do Boeing 747. A pista 30 do aeroporto está equipada para aterragens de baixa visibilidade, com um ILS de Categoria I. Existem ligações directas para 19 destinos fora do arquipélago, dos quais 3 em Portugal, 12 noutros pontos da Europa e 4 no continente Americano. O principal destino dos passageiros processados é Lisboa (com cerca de 325.000 passageiros anuais), seguindo-se a ilha Terceira (com cerca de 100.000). Pelo aeroporto, e para além da TAP e da SATA, passam regularmente a Finnair, SAS, Braathens, Maersk Air, Sterling, Primera, Skyservice e Air Transat. Ao esforço de investimento e desenvolvimento da ANA deverá corresponder um igual esforço de desenvolvimento das infra-estruturas turísticas do arquipélago. Um estudo recentemente revelado indicou alguns dos atractivos dos Açores como destino turístico: as suas belezas naturais em estado preservado, a simpatia e hospitalidade das suas gentes, a possibilidade de prática ao longo de todo o ano de golfe, pesca em alto mar, mergulho, *trekking*, observação

strategic vision for the Azores as a high quality tourist destination. Currently it has 13 check-in desks, six departure gates and 10 aircraft stands for aircraft ranging from twin-engine turboprops to Boeing 747s, handling 1200 passengers and 12 aircraft movements per hour. It is equipped for CAT 1 ILS landings on Runway 30. Some 19 destinations beyond the Azores are served, three in Portugal, 12 other European airports and four in North America. The most popular destinations served are Lisbon with more than 325,000 per year and Terceira with 100,000. ANA handles the activities of a range of international carriers flying to the Azores include TAP Portugal, Finnair, SAS, Braathens, Maersk Air, Sterling, Primera, Skyservice, Air Transat and, of course, SATA. ANA's efforts must be matched, of course, by the provision of hotel and leisure facilities by others. A recent study has highlighted what ANA regards as the Azores "unique selling points"- its natural beauty, the supportive and welcoming local community, the fact that it is an unspoiled market and could be a year-round destination for golf, big game fishing, trekking, scuba diving, whale watching and yachting. It is contended that the market is there for a low-cost operator to exploit, perhaps from one of the major regional centres of population in the United Kingdom.

Passenger throughput is predicted to rise to more than one million per year by 2009, with a very strong seasonal peak in July and August. Since 1978 the passenger numbers have grown every year, rising from 183,000 to 940,772 in 2007. Freight

de baleias e navegação de recreio. É afirmado também que poderá existir mercado para uma operação aérea de baixo custo à partida de um dos principais centros populacionais do Reino Unido. O movimento de passageiros deverá ultrapassar a marca de 1 milhão já no ano de 2009, com uma sazonalidade acentuada nos meses de Julho e Agosto. Desde 1978 que os valores de tráfego registados têm subido continuamente desde os 183 mil passageiros, até aos 940 mil de 2007. Também a carga regista igual crescimento, tendo passado de 4953 para 6559 toneladas.

O aeroporto de Santa Maria é igualmente vital para o desenvolvimento

Fire tenders at Santa Maria (ANA)

tonnage has also grown steadily from 4953 tonnes to 6559 tonnes. Santa Maria's airport is equally vital to the further development of an island that is rich in scenic beauty but is somewhat under-resourced with regard to tourist amenities. These are being improved and the airport is being upgraded substantially in respect of passenger services, capacity and security. The establishment of the direct service to Lisbon may point the way to further international links. Passenger numbers have fluctuated considerably over the years due to the changing circumstances described in previous paragraphs but the trend since 2002 has been positive, rising from 68,000 to 100,570 in 2007. The figures with regard to freight were stable at about 200 tonnes but rose steeply to more than

da ilha, que apesar de possuir uma beleza cénica invulgar não possui ainda grandes infra-estruturas turísticas. No entanto, o seu previsto crescimento, em conjunto com um conjunto de melhorias planeadas para o próprio aeroporto (em termos de serviços ao passageiro, capacidade e de segurança) bem como o recente estabelecimento de uma ligação directa a Lisboa, poderão alterar a situação. Neste aeroporto, o tráfego de passageiros tem sofrido algumas oscilações em face das alterações tecnológicas já referidas nos capítulos anteriores, mas desde 2002 que se encontra numa curva ascendente, tendo passado de 68 mil para 100 mil no ano de 2007. Na carga, e após alguma estabilização em redor das 200 toneladas, os valores subiram também em 2007 para cerca de 4000 toneladas.

ANA Fire truck at Flores (Stephan Weidenhiller)

TAP Portugal A320 on the ramp at Horta (ANA)

4000 tonnes in 2007. The challenge for Horta's airport is to provide a regional airport of entrance for the "triangular" group of islands, Faial, Pico and São Jorge. Once more, considerable enhancements have been made to passenger facilities. In 1978 Horta was in its eighth year and welcomed 58,000 passengers, by 2007 this had increased to a yearly total approaching 200,000. The annual cargo total had trebled to a steady 1000 tonnes a year. Flores' role is as the regional airport for the occidental pair of islands and it too has grown from 4953 passengers in 1978 to 38,963 in 2007, with the freight figures rising from 18 tonnes to 229 tonnes. Both Santa Maria and Flores, at the eastern and western extremities of the archipelago, also have potential with regard to offering facilities to private aircraft crossing the Atlantic.

Today ANA's field of activity includes managing all the facilities in the terminal,

Para o aeroporto da Horta, o desafio será tornar-se na porta de entrada regional para o grupo 'triangular' de ilhas do grupo Central: Faial, Pico e São Jorge. Também aqui foi feito um apreciável esforço de modernização de infra-estruturas, tendo o número de passageiros processados subido de 58 mil em 1978, para quase 200 mil em 2007. O montante de carga está em cerca de 1000 toneladas/ano.

O aeroporto das Flores, servindo o grupo Ocidental de ilhas, viu o tráfego subir exponencialmente de 4953 passageiros em 1978 para 38.963 em 2007. A carga subiu igualmente desde as 18 até às 229 toneladas. Quer as Flores quer Santa Maria – como pontos extremos do arquipélago – oferecem boas condições para tráfego privado nas travessias do Atlântico.

Actualmente, as áreas de actuação da ANA incluem a gestão de todas as instalações dos terminais de passageiros

cargo and technical buildings, airport administration and operations, fire-fighting and maintaining a contractual relationship with other related agencies, eg. security, works and cleaning. It employs some 200 people directly in the islands to which can be added another 200-300 staff working for contractors. The airports also employ airline and handling staff, police, customs, immigration, air traffic control and meteorology, together making an important economic contribution. ANA is currently owned by the Portuguese State but it is planned that privatisation will take place within the next year or two. This may well bring about a certain degree of change and evolution in the way that ANA operates in the Azores. The business structure is lean and efficient but the very nature of the islands' geographical position means that it is all but impossible to run the sophisticated infrastructure required except on a public service basis. A degree of governmental support is required in order to keep the facilities in line with international requirements but also to provide a modern and attractive "gateway to the Azores". Examples of this include the recent refurbishment of Horta and the proposed creation of a parallel taxiway and extra parking stands on the ramp at Ponta Delgada. Santa Maria FIR handled 106,025 overflights in 2006 and (along with Ponta Delgada and Lajes) is a diversionary airfield for ETOPS (Extended Range Operations for twin-engine aircraft) in case of adverse weather at the destination airfield, medical emergency or technical malfunction of an aircraft's systems.

e de carga, bem como das instalações técnicas, a administração dos aeroportos, as suas operações aeroportuárias, serviço de bombeiros e a subcontratação de outras actividades necessárias ao funcionamento dos aeroportos (segurança, reparações, limpeza, etc.). A ANA emprega directamente cerca de 200 pessoas nos Açores, existindo um número semelhante de pessoas a trabalhar para as empresas subcontratadas. Nos vários aeroportos existe ainda pessoal afecto às companhias de aviação, ao *handling*, polícia, alfândega, controlo de tráfego aéreo e meteorologia, o que dá uma ideia da sua grande importância económica para a região.

A ANA SA é totalmente detida pelo Estado Português, perspectivando-se a sua privatização nos próximos 1 a 2 anos. Este factor poderá acarretar alterações na forma como os aeroportos açorianos são geridos. O modelo de negócios adoptado é simples e eficiente, mas a natureza geográfica do arquipélago, com as suas ilhas dispersas, poderá significar que a exploração das sofisticadas infra-estruturas necessárias apenas é possível no contexto de um serviço público. Um certo nível de apoio governamental poderá ser necessário de forma a manter o cumprimento de todos os requisitos internacionais e uma moderna e atraente 'Porta de Entrada' dos Açores. Com este objectivo foi recentemente remodelada a aerogare da Horta, estando também em estudo a criação de um caminho de circulação paralelo à pista, bem como posições adicionais de estacionamento no Aeroporto de Ponta Delgada.

Fire training at Flores (ANA)

There is no doubt of ANA's deep and ongoing commitment to the Azores, proven by its excellent work over the last 30 years concerning the airports for which it is responsible as a public service for the benefit of the entire community. A new Master Plan for future developments is already in hand!

A strategic vision is required with government and the private sector working in harmony, providing roads, ports and airports to develop the Azorean infrastructure for the benefits of its inhabitants and the increasing number of tourists. The history of aviation in the Azores has much of interest in its past, its future also looks to be well worthy of study.

A FIR de Santa Maria processou 106.025 voos no ano de 2006, sendo este aeroporto (tal como Ponta Delgada e as Lajes) utilizado como alternante para operações ETOPS e para emergências médicas ou técnicas.

É desta forma evidente o compromisso da ANA para com os Açores, visível nos 30 anos de excelentes serviços prestados às comunidades locais. Um novo Plano Director consagrando novos desenvolvimentos das infra-estruturas aeroportuárias está já em marcha!

De forma a potenciar o desenvolvimento turístico dos Açores e a melhoria das condições locais será necessária uma visão estratégica, com o Governo e o sector privado trabalhando em conjunto, seja no desenvolvimento de aeroportos, seja de estradas, portos ou de outras infra-estruturas.

A história da aviação nos Açores, que tantos motivos de interesse apresenta no seu percurso, promete continuar a merecer no futuro toda a atenção.

Vacas Avioes (Cows, A-10s and VC-10) at Lajes (via M Martins)

Airport Statistics 1947–2007

	SANTA MARIA AIRPORT (June, 2nd 1946)				JOHN PAUL II AIRPORT (August, 24th 1969)				
Year	Commercial Movements	Commercial Passengers	Local Passengers	Commercial Freight	Commercial Movements	Commercial Passengers	Local Passengers	Commercial Freight	Year
1943									1943
1944									1944
1945	Certified for Civil Aviation in September, 21st 1946								1945
1946	NA	NA	NA	NA					1946
1947	3,574	NA	NA	NA					1947
1948	4,588	NA	NA	NA					1948
1949	4,956	NA	NA	139					1949
1950	4,998	NA	NA	116					1950
1951	3,887	NA	7,316	80					1951
1952	3,757	NA	7,516	61					1952
1953	3,648	NA	7,469	57					1953
1954	4,845	NA	10,387	103					1954
1955	5,772	NA	12,748	112					1955
1956	6,483	NA	16,758	140					1956
1957	5,678	NA	21,388	149					1957
1958	5,519	NA	23,086	175					1958
1959	5,198	NA	27,429	92					1959
1960	6,875	NA	32,143	80					1960
1961	6,780	NA	30,514	81					1961
1962	5,163	NA	27,354	67					1962
1963	4,105	NA	31,599	74					1963
1964	4,278	69,262	39,516	134					1964
1965	3,944	80,743	48,824	139					1965
1966	4,438	107,862	67,795	191					1966
1967	4,906	120,649	73,622	179					1967
1968	5,208	146,826	88,488	223					1968
1969	5,647	203,266	116,833	270	3,221	57,615	54,693	120	1969
1970	5,456	245,295	139,048	344	3,129	73,472	65,359	188	1970
1971	4,927	225,222	115,493	474	3,027	79,824	74,872	298	1971
1972	5,191	264,298	120,667	761	3,385	101,980	101,135	585	1972
1973	5,516	267,655	138,088	1,927	4,113	116,312	107,715	1,303	1973
1974	5,038	245,328	150,163	2,610	4,098	127,309	116,253	1,683	1974
1975	4,544	214,998	130,977	2,312	3,643	118,842	109,807	1,768	1975
1976	4,794	242,657	139,134	2,184	4,191	150,716	142,594	3,408	1976
1977	5,273	298,571	125,039	1,770	4,827	178,845	169,731	4,752	1977
1978	4,371	266,606	113,115	1,388	4,534	183,347	176,795	4,953	1978
1979	3,685	227,558	102,999	1,391	5,034	225,540	219,293	5,216	1979
1980	2,441	136,067	52,111	1,100	5,404	228,529	225,700	5,848	1980
1981	1,833	108,996	27,705	649	5,557	232,858	230,641	5,010	1981
1982	1,419	72,935	28,018	570	5,449	238,079	235,177	5,413	1982
1983	1,391	68,551	32,094	624	5,601	245,573	242,541	6,218	1983
1984	1,299	60,892	28,939	584	5,543	261,606	261,086	5,525	1984
1985	1,194	48,918	30,687	637	5,743	276,868	272,511	5,342	1985
1986	1,258	54,504	31,989	500	5,883	302,371	298,323	4,594	1986
1987	1,300	54,928	36,233	458	5,918	318,495	317,080	5,478	1987
1988	1,444	55,192	36,773	372	6,505	345,693	342,192	5,963	1988
1989	1,654	73,687	37,689	310	6,227	366,677	355,080	5,830	1989
1990	1,259	64,783	38,247	281	5,909	388,607	379,698	6,331	1990
1991	1,097	50,892	35,838	271	5,456	398,793	386,728	6,060	1991
1992	1,557	120,568	40,590	245	6,262	436,094	425,477	5,690	1992
1993	1,907	136,989	39,279	128	6,656	421,642	409,224	5,469	1993
1994	1,767	119,308	39,235	106	6,211	429,234	418,047	5,807	1994
1995	1,785	111,657	39,485	122	6,763	464,092	459,934	6,907	1995
1996	1,452	82,922	41,075	135	7,183	478,367	471,784	6,701	1996
1997	1,558	94,386	44,969	136	7,475	504,326	483,405	6,840	1997
1998	1,466	85,400	48,411	178	7,987	558,578	534,301	7,652	1998
1999	1,326	79,387	50,537	227	8,635	625,473	612,794	7,935	1999
2000	1,456	70,721	50,794	219	8,843	681,582	675,072	7,527	2000
2001	1,420	73,395	53,937	262	9,070	754,054	745,857	6,853	2001
2002	1,413	68,867	54,746	209	9,619	774,997	762,609	7,128	2002
2003	1,647	68,981	53,835	203	10,452	781,467	769,331	7,540	2003
2004	1,693	67,275	56,196	193	10,966	832,050	819,814	7,301	2004
2005	3,007	91,875	59,903	221	11,312	873,664	859,023	7,276	2005
2006	3,041	96,831	59,272	835	11,384	909,609	893,156	7,096	2006
2007	3,600	100,570	61,546	4070	11,850	940,772	926,145	6,559	2007

	HORTA AIRPORT (August, 24th 1971)				FLORES AIRPORT (April, 27th 1972)				
	Commercial	Commercial	Local	Commercial	Commercial	Commercial	Local	Commercial	
Year	Movements	Passengers	Passengers	Freight	Movements	Passengers	Passengers	Freight	Year
1971	100	2,757	2,757	1					1971
1972	648	16,326	16,276	14	NA	NA	NA	NA	1972
1973	912	23,732	23,732	79	NA	NA	NA	NA	1973
1974	902	26,166	26,159	68	NA	NA	NA	NA	1974
1975	1,084	31,074	31,042	108	62	1,823	1,823	3	1975
1976	1,375	45,459	44,348	218	100	3,175	3,175	15	1976
1977	1,610	54,747	52,755	252	156	4,315	4,315	16	1977
1978	2,160	58,555	56,252	372	232	4,953	4,953	18	1978
1979	2,160	77,001	73,816	461	232	6,772	6,772	45	1979
1980	2,355	70,848	66,888	593	262	7,816	7,816	114	1980
1981	2,305	71,509	67,596	531	284	8,545	8,545	115	1981
1982	2,140	65,461	62,140	504	316	9,394	9,394	130	1982
1983	2,215	67,136	63,758	489	358	10,629	10,629	169	1983
1984	2,077	65,474	62,444	523	357	10,408	10,408	150	1984
1985	2,202	71,354	68,156	599	354	10,977	10,977	155	1985
1986	2,126	72,447	69,381	565	362	11,233	11,233	107	1986
1987	2,117	80,416	78,244	736	418	12,554	12,554	115	1987
1988	2,446	86,285	83,030	977	464	13,709	13,709	223	1988
1989	2,500	91,079	86,955	946	486	15,152	15,152	182	1989
1990	2,475	101,339	96,288	880	562	16,705	16,705	182	1990
1991	2,386	106,861	97,774	805	546	18,643	18,643	201	1991
1992	2,903	114,404	105,422	983	1,206	20,998	20,968	161	1992
1993	3,066	113,105	98,411	891	1,080	21,288	21,060	184	1993
1994	2,900	118,161	103,539	971	939	20,891	20,241	153	1994
1995	3,084	123,194	111,708	951	714	20,460	20,287	102	1995
1996	2,977	125,626	116,599	994	742	20,948	20,882	177	1996
1997	3,145	127,548	116,548	947	844	24,379	24,324	187	1997
1998	3,268	133,642	123,940	1,105	850	25,474	25,447	209	1998
1999	3,598	158,925	150,351	1,182	954	28,619	28,557	254	1999
2000	3,899	169,296	160,941	1,246	974	29,353	29,307	219	2000
2001	4,016	180,352	171,921	958	980	30,960	30,922	198	2001
2002	4,069	189,475	183,830	1,009	998	29,987	29,959	208	2002
2003	4,471	185,191	177,682	1,114	1,156	31,912	31,898	213	2003
2004	4,471	194,456	186,218	997	1,288	35,572	35,550	221	2004
2005	4,450	188,828	180,934	1,104	1,286	36,382	36,377	303	2005
2006	4,465	196,939	189,063	947	1,332	37,820	37,813	231	2006
2007	4643	200,716	191,303	993	1406	38,963	38,963	229	2007

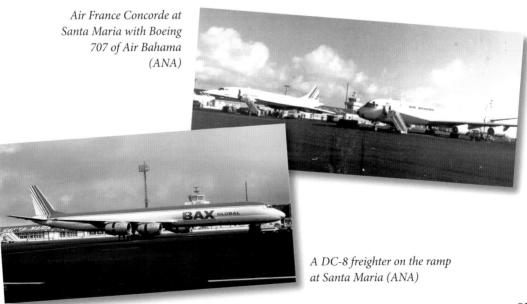

Air France Concorde at Santa Maria with Boeing 707 of Air Bahama (ANA)

A DC-8 freighter on the ramp at Santa Maria (ANA)

SATA FROM 1947

Registration	Type	c/n	In Service	
CS-TAA	Beechcraft UC-45B	43-35596	1947	
CS-TAB	DH-104 Dove 5	4106	1948-72	
CS-TAC	DH-104 Dove 5	4107	1948-72	
CS-TAD	Douglas C-47	9140	1964-74	
CS-TAE	Douglas C-47B	16013	1964-75	
CS-TAI	Douglas C-47A	12054	1969-71	
CS-TAJ	Douglas DC-6B	43529	1976	
CS-TAK	Douglas DC-6B	43535	1977	
CS-TAL	Douglas DC-6B	44108	1977	
CS-TAM	Douglas DC-6B	43529	1978	
CS-TAN	Douglas DC-6B	44258	1978	
PH-FMA	Fokker F.27	10354	1969	
G-AVRR	HS 748 Series 2A	1635	1969	
G-ATMJ	HS 748 Series 2	1593	1969-70	
G-ATMI	HS 748 Series 2	1592	1970	
CS-TAF	HS 748 Series 2A	1681	1970	
CS-TAG	HS 748 Series 2A	1687	1970-87	
CS-TAH	HS 748 Series 2A	1721	1973-87	
ZK-MCA	HS 748 Series 2A	1712	1980	
CS-TAO	HS 748 Series 2A	1777	1980-90	
G-BHCJ	HS 748 Series 2	1663	1981	
ZK-DES	HS 748 Series 2A	1689	1982	
G-BCDZ	HS 748 Series 2	1662	1983-84	
G-AZSU	HS 748 Series 2	1612	1985	
CS-TAP	HS 748 Series 2B	1782	1987-91	
CS-TAQ	HS 748 Series 2B	1790	1987-91	
CS-TAR	HS 748 Series 2B	1797	1989-90	
G-BRJS	BAe 146-100	1004	1987	
CS-AJR	BN-2 Islander	98	1991-93	OceanAir
CS-AQP	BN-2 Islander	625	1991-93	OceanAir
CS-TFG	DHC-6 Twin Otter	46	1993-94	OceanAir
CS-TGL	BAe ATP	2019	1989 -	current
CS-TGM	BAe ATP	2030	1990-99	
CS-TGN	BAe ATP	2031	1990 -	current
CS-TGB	BAe ATP	2009	1993	

SATA FROM 1947

Registration	Type	c/n	In Service	
CS-TGX	BAe ATP	2025	2000 -	*current*
CS-TGY	BAe ATP	2049	2000 -	*current*
CS-TFJ	BAe ATP	2018	2007-	*current*
CS-TGG	Dornier 228-202	8160	1992-93	
CS-TGO	Dornier 228-202	8119	1993 -	*current*
CS-TGP	Boeing 737-300	24131-1541	1995-05	
CS-TGQ	Boeing 737-300	28570-3010	1998-02	
CS-TGR	Boeing 737-300	24902-1973	1999-01	
CS-TGW	Boeing 737-400	23981-1678	2001-04	
CS-TGZ	Boeing 737-400	28491-2832	2002-05	
CS-TGU	Airbus A310-300	571	1999 -	*current*
CS-TGV	Airbus A310-300	651	2000 -	*current*
CS-TKI	Airbus A310-300	448	2003-05	
CS-TKM	Airbus A310-300	661	2005 -	*current*
CS-TKN	Airbus A310-300	624	2007-	*current*
CS-TKJ	Airbus A320-200	795	2004 -	*current*
CS-TKK	Airbus A320-200	2390	2005 -	*current*
CS-TKL	Airbus A320-200	2425	2005 -	*current*

(via Paulo Pereira)

APPRECIATION

Grateful thanks are due to: Luís M Sismeiro, José Luiz Alves, Madalena Oliveira and Luis Teixeira of ANA; António Cansado, Francisco Afonso, Rogério Lopes, Nathalie de la Bletiere, Lúcia M Silveira Brazil, José Manuel Silva and Maria Teixeira of SATA for their help. Many thanks also to Manuel Martins, Carlos M Ramos da Silveira, Oscar Nunes, Manuel Rita, Kathleen Rita, Frederico Rosa of the Fundação Humberto Delgado, Captain José Vilhena, Paulo Pereira of the Portuguese Aviation Authority, António Monteiro, Jaime Tómas, Max Brix, Michelle Heck and SSgt Marcus McDonald at Lajes AFB, Lena Kaljot, USMC Historic Section, Dr Stephen R Wise, Director USMC Museum, Dale J Gordon, USN Historical Center, Air Historic Branch (RAF), Colin Cruddas - Cobham plc, John Perrin, Keith Hayward, the BA Honorary Archivist and Stephan Weidenhiller, Chief Editor Planes-International.com.

REFERENCES:

Barker, Ralph, *Great Mysteries of the Air*, Pan Books, London 1968

Cruddas, Colin, *Highways to the Empire*, Air-Britain, Tonbridge 2006

Fidalgo, Paulo, (editor), *Memory of two decades serving Portugal*, ANA, Lisbon 1999

De Oliveira, João (editor), *Aeroporto de Santa Maria 1946-1996*, ANA EP, Lisbon 1996

Kaplan, Marian, *The Portuguese The Land and its People*, Penguin Books, London 1993

Guill, J.H., *A History of the Azores Islands*, Golden Shield Publications, California 1993

Martins, Manuel, *Lajes Air Base*, Manuel Martins, Terceira 2006

Silveira, Carlos M., Ramos da, *Aeroporto da Horta 30 Anos 1971-2001*, ANA, Lisbon 2001

Silveira, Carlos M., Ramos da, *The Horta Swell*, Autor, Horta 1996

Silveira, Carlos M. and Gonçalves, Francisco, *O Faial na História da Aviação*, Autor, Horta 2005

Smith, D.J., *Atlantic Air Bridge*, Aviation News Annual 1993

Airplane - the Complete Aviation Encyclopaedia - Orbis, London 1991-93

SATA in-flight magazine various issues

WEBSITES

library.csustan.edu (Santos, Robert L., Azoreans to California: A History of Migration and Settlement), voaportugal.org, lajes.af.mil, sata.pt, aviation-safety.net, aviatio-history.com, bermuda-online.org, bermuda-triangle.org, uboat.net, centennialofflight.gov, azoresairphotos.com, planes-international.com (Weidenhiller, Stephan, 39°40'N 31°07'W: Corvo Airport - Europe's smallest airport in America).

The author would like to express his sincere thanks to Wesley, Malcolm and Tom of April Sky for all their hard work and artistic expertise.

(Photo taken by Michael Bradshaw)

The author

THE AZORES FLAG

The islands were claimed for Portugal around 1427 and given their name by the Portuguese mariner Diogo de Silves. He named the islands after the hook beaked Açor, a type of eagle which he believed was common to the islands. The birds he actually saw in abundance were Goshawks, which may still be found in the islands to this day. The name Açores (or Azores) stuck, however but the Goshawk has its rightful place on the Azorean flag.

A Boeing 737-800 of the Danish operator, Sterling, arrives at
Ponta Delgada on a weekly charter flight (Stephan Weidenhiller)

An interior view of the terminal at Ponta Delgada, note the model of
NC-3 suspended from the roof (Stephan Weidenhiller)